ANDROMAQUE

de Jean Racine

LES CHEFS-D'ŒUVRE DE LA LITTÉRATURE EXPLIQUÉS

EN VENTE :

L'ILIADE d'Homère, par *A. Puech*, de l'Institut.

L'ODYSSÉE d'Homère, par *V. Bérard*, de l'École des Hautes Études.

ŒDIPE-ROI de Sophocle, par *Maurice Croiset*, de l'Institut.

HIPPOLYTE d'Euripide, par *Louis Méridier*, Professeur à la Sorbonne.

LA RÉPUBLIQUE de Platon, par *Maurice Croiset*, de l'Institut.

LES PHILIPPIQUES de Démosthène, par *A. Puech*, de l'Institut.

L'ÉNÉIDE de Virgile par *Constans*, Professeur à la Sorbonne.

LES CATILINAIRES de Cicéron, par *H. Bornecque*, Professeur à la Faculté des Lettres de Lille.

LES SATIRES de Juvénal, par *Pierre de Labriolle*, Professeur à la Sorbonne.

LA CHANSON DE ROLAND, par *Ed. Faral*, Professeur au Collège de France.

LES ESSAIS de Montaigne, par *Gustave Lanson*, Directeur honoraire de l'École Normale Supérieure.

DON QUICHOTTE de Cervantes, par *Paul Hazard*, Professeur au Collège de France.

LE CID de Corneille, par *Gustave Reynier*, Professeur à la Sorbonne.

POLYEUCTE de Corneille, par *J. Calvet*, Professeur à la Faculté Libre de Paris.

LE MISANTHROPE de Molière, par *René Doumic*, de l'Académie Française.

ANDROMAQUE de Racine, par *Daniel Mornet*, Professeur à la Sorbonne.

LES FEMMES SAVANTES de Molière, par *G. Reynier*, Professeur à la Sorbonne.

LES PENSÉES de Pascal, par *Fortunat Strowski*, de l'Institut.

L'ART POÉTIQUE de Boileau, par *Marcel Hervier*.

LA NOUVELLE HÉLOÏSE de J.-J. Rousseau, par *Daniel Mornet*, Professeur à la Sorbonne.

LE ROUGE ET LE NOIR de Stendhal, par *A. Le Breton*, Professeur à la Sorbonne.

LA LÉGENDE DES SIÈCLES de Victor Hugo, par *P. Berret*.

PORT-ROYAL de Sainte-Beuve, par *Victor Giraud*.

BRAND d'Ibsen, par *P. G. La Chesnais*.

PÊCHEUR D'ISLANDE de P. Loti, par *L. Barthou*, de l'Académie Française.

EN PRÉPARATION :

LES CAVALIERS d'Aristophane, par *O. Navarre*, Professeur à la Faculté des Lettres de Toulouse.

LES TROPHÉES de J.-M. de Hérédia, par *P. Moreau*, Doyen de la Faculté des Lettres de Besançon.

GARGANTUA de Rabelais, par *Abel Lefranc*, de l'Institut.

LES MISÉRABLES de Victor Hugo, par *Georges Ascoli*, Professeur à la Sorbonne.

LES ANNALES DE TACITE, par *Fabia*, de l'Institut.

LE PÈRE GORIOT de Balzac, par *Marcel Bouteron*.

LES VERRINES de Cicéron.

ANDROMAQUE

de Jean Racine

ÉTUDE ET ANALYSE
PAR
DANIEL MORNET

PROFESSEUR DE LITTÉRATURE FRANÇAISE
A LA SORBONNE

MELLOTTÉE, ÉDITEUR
48, RUE MONSIEUR-LE-PRINCE, PARIS VI•

DU MÊME AUTEUR

INTRODUCTION

Le « Miracle d'Andromaque ».

Je n'ai pas inventé l'expression. Et je n'ai pas l'intention de la renier. Depuis longtemps on a loué dans la pièce de Racine une sorte de nouveauté miraculeuse comme on l'admirait dans le Cid *de Corneille. Mais les raisons que l'on donne communément de cette nouveauté ne sont pas du tout celles que j'y trouve. Je veux dire celles qu'une exacte connaissance de l'histoire littéraire nous permet d'y trouver. Ce sont les enseignements de cette histoire littéraire que je voudrais apporter ici. Et ce sont ceux qui importent. Car si l'on veut bien comprendre une œuvre de génie il faut avant tout savoir où est son originalité. Originalité signifie nécessairement nouveauté. Et c'est sur la nouveauté d'*Andromaque *que l'histoire littéraire exacte n'est pas du tout d'accord avec la plupart des jugements que l'on porte sur Racine et sur son premier chef-d'œuvre, de Faguet à Jules Lemaître et de Masson-Forestier à Mauriac.*

*Assurément il est facile de marquer la prodigieuse distance qui sépare les chefs-d'œuvre de Corneille d'*Andromaque. *Chez Corneille, une tragi-comédie romanesque, le* Cid, *où l'amour et le devoir, la volonté* *du devoir tiennent une place égale et où le devoir triomphe. Dans* Horace, Cinna, Polyeucte, *et dans* la Mort de Pompée, Rodogune, Nicomède, *des héros qui sont des rois et reines ou des grands de ce monde, qui poursuivent de « grands intérêts » auxquels seuls peuvent s'attacher des rois ou reines ou des grands (ou des âmes de martyre comme* Polyeucte*). Pour servir ces grands intérêts des héros qui disposent d'une énergie sans limites, que rien ne fait reculer ou même frémir. Une énergie d'ailleurs, qui ne s'applique pas nécessairement à de grands ou même de modestes devoirs. Les grands intérêts sont presque toujours des intérêts d'ambition, d'une ambition sans scrupules à laquelle la fourbe, la violence et le crime paraissent parfaitement légitimes. Dans cette bataille pour le trône, le pouvoir, la vengeance (exceptionnellement pour la patrie dans* Horace *ou le ciel dans* Polyeucte*) l'amour, s'il n'est pas d'accord avec la volonté de pouvoir, n'est qu'une petite chose roulée, engloutie dans le torrent des énergies d'ambition ou de vengeance. A l'ordinaire enfin on n'aboutit pas d'un seul coup et par des moyens simples à ses fins de vengeur et d'ambitieux. Il y faut compter avec la défense des autres, avec le hasard des événements. On verra donc se dérouler des aventures complexes, des intrigues riches de surprises. Enfin les grands volontaires et les grands ambitieux ne s'expriment pas à l'ordinaire en style de pastorale ou de diseurs de sérénades. Ils ont ou nous supposons* qu'ils doivent avoir un style à la mesure de leur âme, plein d'énergie, de véhémence, de décision. C'est tout cela que l'on trouve dans les tragédies de Corneille, dans ses chefs-d'œuvre et, plus nettement encore dans la plupart de ses œuvres, qui ne sont pas des chefs-d'œuvre.

Rien de tout cela et même toute le contraire de tout cela dans Andromaque. Point de grands intérêts. Oreste vient réclamer au nom du salut de la Grèce le fils d'Hector, le « prince héritier ». Mais Pyrrhus, Hermione et aussi bien Oreste se moquent éperdument du salut de la Grèce. Ils n'ont dans leur tête, aussi bien que dans leur cœur, que leur passion d'amour, une passion où il n'est plus question de pouvoir, de dignité, de rang social et qui peut, on l'a répété mille fois et à juste titre, posséder l'âme d'un débardeur ou d'une blanchisseuse comme celle d'un roi, d'une princesse et d'un ambassadeur. Dominés par leur passion, Pyrrhus, Hermione, Oreste n'ont aucune volonté pour lui résister ou même pour la discuter. Ils cèdent, comme ils le disent, « en aveugles », au torrent qui les entraîne. Seule Andromaque est une femme d'énergie, douée de l'énergie du devoir. Mais il ne lui sert de rien d'en avoir puisqu'elle est prise entre deux devoirs exactement contradictoires et que, dans la lutte, elle est entièrement désarmée. Le drame qui s'est brusquement précipité n'est pas né d'évènements extérieurs et ne peut pas se dénouer par des événements. Il est tout entier dans les âmes. C'est en lui-même seulement que Pyrrhus peut décider s'il épousera ou n'épousera pas Hermione ; c'est en elle-même seulement qu'Hermione se résoudra à se résigner ou à se venger. Enfin pour expliquer ce qui les pousse ou les déchire, les amants, l'amante, la veuve torturée ne pourront pas parler en maîtres du monde, en puissants de la terre. Il n'y a pas de façon impériale ou princière de parler d'amour, même de colère et de vengeance d'amour. Le style hautain, majestueux n'aura à peu près pas de place dans Andromaque.

Le contraste est donc total entre les chefs-d'œuvre ou les œuvres de Corneille et notre tragédie. Et le contraste serait non seulement miraculeux mais totalement inexplicable s'il convenait de comparer ce qu'on écrivait pour le théâtre entre 1636-1640 et ce qu'on y jouait vers 1667. En réalité c'est toute une génération qui s'est écoulée. Au cours d'une génération des changements peuvent se faire et se font le plus souvent graduellement sans qu'on puisse parler de révolution ou de miracle. Et ce sont ces changements qu'il faut connaître exactement pour déterminer ce qu'étaient les goûts moyens en matière de théâtre au moment où Racine compose Andromaque. C'est alors seulement que nous pourrons comprendre la véritable nouveauté, le miracle de la tragédie.

Nous les découvrirons plus commodément et d'une façon plus vivante en étudiant quelques tragédies jouées dans les dix années qui précèdent Andromaque.

A une condition, bien entendu, c'est qu'elles ne soient pas des tragédies d'exception. Je prendrai donc soin de montrer que ce que nous y trouvons n'est pas la fantaisie ou l'erreur d'un auteur ou d'un moment d'un auteur mais une mode, l'une des modes que suivent tout autant bon nombre d'œuvres contemporaines.

PREMIÈRE PARTIE

Des erreurs
généralement commises dans l'étude
de l'originalité d'*Andromaque*

CHAPITRE PREMIER

La tragédie ou tragi-comédie romanesque et galante :

Timocrate de Thomas Corneille (1656).

Timocrate est le plus grand succès dramatique du XVIIe siècle ; son succès l'emporte sur celui même d'*Andromaque* et des comédies de Molière les plus applaudies. Suivons-en donc, avec respect ou avec patience, les péripéties en les simplifiant autant que possible pour tâcher de ne pas nous y perdre.

Timocrate est fils du roi de Crète. Las, sans doute, de la vie de cour et de l'oisiveté, il aspire à la destinée des Amadis et des Artamènes. Il se fait chevalier errant sous le nom de Cléomène. Il se couvre de gloire un peu partout et arrive enfin à la cour de la reine d'Argos. Là, comme ailleurs, il est sage dans le conseil et invincible dans la guerre. Dans une lutte farouche contre les Messéniens, il sauve l'état d'Argos et le conduit à une écrasante victoire. Cependant les beaux yeux de la fille de la reine, Eriphile, ont asservi son cœur. Il soupire, il répand des larmes. Eriphile s'est laissée toucher, elle aussi. Elle n'a pu résister à tant d'héroïsme et à tant de langueur. Elle n'a pas avoué son amour ; car la « gloire » d'une jeune fille lui interdit cet aveu qui « coûte tant de peine » ; et la gloire d'une jeune

fille de roi lui commande de n'épouser qu'un roi
ou un fils de roi. Tout irait bien cependant sans
une petite difficulté : le royaume d'Argos a pour
ennemi héréditaire le royaume de Crète ; la reine
d'Argos accuse le roi de Crète d'avoir fait périr son
mari. Une guerre éclate. Les Argiens sont sur le
point d'être vainqueurs lorsqu'apparaît, au milieu
de l'armée crétoise presque en déroute, le prince
Timocrate, qu'on croyait mort, et qui se dresse,
irrésistible :

> L'espoir changea de camp ; le combat changea
> [d'âme,

Les Argiens repoussés doivent regagner piteusement leurs vaisseaux et leur ville. Cependant
le vieux roi de Crète est mort. C'est Timocrate qui
règne. Doué sans doute d'un don d'ubiquité il
règne en Crète ; mais il est toujours présent à la
cour de la reine d'Argos sous le nom de Cléomène,
toujours honoré, amoureux et silencieusement
aimé. Arrive un ambassadeur crétois. Il offre de
la part de Timocrate la paix à la condition que la
princesse d'Argos, Eriphile, devienne la femme de
lui Timocrate. La reine prend conseil de deux rois
et d'un prince, ses voisins et amis, et de Cléomène.
Rois et princes sont, bien entendu, follement épris
de l'irrésistible Eriphile. Ils conseillent de repousser
avec mépris une offre humiliante. Seul Cléomène
(Cléomène-Timocrate) est d'avis qu'on l'accepte.
La reine dédaigne cet avis. Elle renouvelle le
serment solennel qu'elle a fait en attestant les dieux.
Elle ne pardonnera pas à Timocrate et elle donnera
sa fille en mariage à celui qui le lui amènera, mort
ou vif.

La bataille reprend donc. Les Argiens sont

d'abord vaincus. Le roi Timocrate, toujours doué
du don d'ubiquité, est cette fois à la tête des Crétois.
Il a même, toujours comme il se doit, exterminé
les deux rois, ses rivaux, qui combattaient pour la
reine d'Argos. Les Argiens n'ont qu'une consolation :
ils ont fait prisonnier un prince crétois, Trasile.
Ils n'en sont pas moins repoussés dans leur capitale
où la situation est tragique. Mais, nouveau revi-
rement du destin. On voit réapparaître Cléomène-
Timocrate (dont on ignore toujours qu'il est
Timocrate) et dont on n'avait plus de nouvelles.
« Tout va bien, annonce-t-il. Nous sommes victorieux. Je vous amène le roi Timocrate que je viens
de faire prisonnier ». Ce qui veut dire que la reine n'a
plus qu'à tenir son serment, à marier Cléomène et
Eriphile. Il sera temps alors de remettre les gens
en leur place et de déclarer que le prisonnier n'est
qu'un quelconque seigneur qui a bien voulu obliger son roi. Malheureusement la ruse échoue. On
a des soupçons. Le premier prisonnier fait par les
Argiens, Trasile, mis en présence du prisonnier de
Cléomène atteste que ce n'est pas là le roi de Crète,
que ce n'est pas Timocrate. Cléomène-Timocrate
doit avouer qu'il est Timocrate et non pas Cléomène.
La reine d'Argos tiendra son serment : elle mariera
Timocrate à Eriphile puisqu'en se livrant il a livré
Timocrate. Et puis elle le fera périr pour accomplir
la vengeance due à son époux. Heureusement pour
lui, ses troupes, malgré son absence, ont pu, par
de « secrets complots », pénétrer dans la ville. Ils
en sont maîtres ; ils arrivent au palais. « Que va
devenir mon serment ? » gémit la reine d'Argos.
Heureusement encore les dieux pitoyables l'illumi-
nent « Je démissionne, j'abdique, en faveur de ma
fille ! Je ne suis plus reine d'Argos. J'ai dit : tant

que je serais reine d'Argos... » On va donc marier les
fidèles amants. Ils seront contents. Et les peuples
seront contents. Il n'y aura plus deux royaumes
ennemis puisqu'il n'y aura plus qu'un royaume.

Que trouvons-nous dans cette élucubration qui
fut, rappelons-le, triomphante ? D'abord, évidemment, le romanesque, dans ses plus folles
fantaisies. Nous sommes dans le pays de chevalerie, qui est partout et nulle part, dans ce pays où
c'est l'invraisemblable qui devient la règle, la
banalité et comme la nécessité même des choses.
Comment croire qu'un fils de roi, dont le père est
vieux, qui est menacé de la guerre puisse partir
pour l'aventure, sans crier gare, et disparaître ?
Comment croire qu'inconnu, sous un faux nom,
il puisse être accueilli dans les cours, commander
des armées ? Admettons ces absurdités qui ne
sont qu'au point de départ. Mais par quels miracles
Cléomène-Timocrate peut-il en vingt-quatre heures
passer de l'armée argienne à l'armée crétoise, de
l'armée crétoise à l'armée argienne ? Thomas
Corneille n'a pas le moindre souci de nous l'expliquer. Il sait aussi bien que les spectateurs ne
demandent pas d'explication. Nous sommes dans
le monde de la tragi-comédie où il ne s'agit pas
d'être vrai, ni même vraisemblable, où le spectateur demande seulement à être conduit de surprise
en surprise, quand ce n'est pas de prodige en
prodige.

Sans doute la tragi-comédie commence à passer
de mode au profit de la tragédie et de la comédie.
Mais elle ne disparaîtra jamais complètement ; et
le romanesque où elle puise alimentera aussi bien
la comédie à machines et l'opéra. L'illusion féconde
ne verra pas diminuer son prestige ; elle se répan-
dra seulement par d'autres moyens. Surtout, dans
ces dix années qui précèdent *Andromaque*, la
tragédie use et abuse du romanesque aussi bien
que la tragi-comédie. N'en prenons qu'un exemple.
Tout *Timocrate* repose sur le quiproquo Cléomène
= Timocrate. Or ce quiproquo, souvent même
plus compliqué et plus absurde, est le point de
départ d'un bon nombre de tragédies. Les « pseudos » sont constamment les héros de Quinault
comme de Thomas Corneille, et à l'occasion de
Corneille. Un personnage vit sous un nom qui n'est
pas le sien, parfois même un personnage vit sous
le nom d'un autre et l'autre vit sous le sien. On
utilise même ces méprises de deux façons : tantôt
celui qui passe pour être celui qu'il n'est pas le
sait ; tantôt il l'ignore et c'est un autre qui exploite
le secret. Dans l'*Héraclius* de Corneille, Martian
passe pour être Léonce, fils de Léontine, et Héraclius est élevé sous le nom de Martian, fils de
Phocas (tous les deux sans le savoir). Chez Thomas
Corneille, Hypparque passe pour être Roger *(Bra-
damante)* ; Hippias passe pour être Pyrrhus et
Pyrrhus passe pour être Hippias, tous les deux sans

le savoir *(Pyrrhus)* ; Darius est en réalité Codoman
sans le savoir *(Darius)* ; Bérénice passe pour la
fille d'Araxe et est en réalité celle de Léarque ;
Philoxène est en réalité Atys sans le savoir *(Bérénice)*. Ariarate se fait passer pour Oronte *(Laodice)*.
Chez Quinault, Astrate, cru fils de Sichée, est en
réalité, sans qu'il le sache, fils du roi de Tyr, assassiné par la reine qu'il aime *(Astrate)* ; le roi Tibérinus
est en réalité Agrippa qu'il passe pour avoir assassiné *(Agrippa ou le faux Tibérinus)* ; un soi-disant
Alcibiade est en réalité Cléone, sœur de cet Alcibiade *(Le faux Alcibiade)* ; Aristonne passe pour
être la fille du seigneur Araxe et se trouve être
(sans le savoir) la sœur du roi Cambise. Dans le
Cresphonte de Gilbert, Scamandre est en réalité
Cresphonte. Dans le *Fédéric* de Boyer, la jeune
Yolande est roi sous le nom de Manfrede et a même
été fiancée à la reine Camille, etc., etc.

Rien de tout cela évidemment n'apparaît dans
Andromaque ni dans aucune tragédie de Racine
(à l'exception de la naissance cachée, naturelle et
nécessaire, de Joas dans *Athalie*). Mais ce romanesque est mis au service d'un idéal qui va nous
rapprocher de Racine et qui est l'idéal galant.
L'idéal galant qui vient, comme le romanesque,
des romans de chevalerie s'oppose brutalement
à l'idéal héroïque que l'on peut appeler cornélien
bien qu'il ne soit pas le moins du monde, même
au théâtre, une création cornélienne. Le « héros »

que nous retrouverons tout à l'heure en étudiant
un exemple de la tragédie de « grands intérêts »,
est incapable d'aucune faiblesse. Dès qu'il a fixé
un but à son énergie, but qui est le plus souvent
une ambition politique, rien ne saurait l'en détourner. Sans doute il peut laisser surprendre son cœur
par un « bel objet », un bel objet qu'il ne saurait
épouser sans nuire à son ambition, sans se laisser
détourner de son but. Alors il soupire, un petit
moment ; il déclare qu'il est le plus malheureux
des hommes et qu'il traînera d'éternels regrets.
Mais cette éternité de chagrin le fait à peine hésiter.
Seules les âmes communes, et non la sienne,
peuvent se laisser charmer par les délices de
l'amour. Il sait qu'il saura y renoncer ; et il y
renonce, après la formalité de quelques pleurs,
pour faire un mariage qui servira son ambition.
Dans la tragédie galante, c'est exactement le
contraire. Dans *La Mort de Cyrus* de Quinault
(1658), Cyrus livre bataille à la reine Thomyris
qui est, farouchement, son implacable ennemie.
Déjà il est vainqueur ; l'armée de Thomyris est
sur le point de se débander. Seulement du haut
du tertre d'où il commande il aperçoit la reine qui,
sur le sien, tâche de rallier ses troupes. Sans doute
a-t-elle dédaigné de porter un casque ; sans doute
a-t-il de bons yeux. Car instantanément, à sa
seule vue, il tombe éperdument amoureux. Dès
lors peu lui importent sa gloire, sa liberté, sa vie et

son armée et son peuple. Il songe que si Thomyris
est vaincue elle fuira dans les fins fonds de la
Scythie. Jamais plus il ne la reverra. Dès lors il
cesse de commander. Son armée, privée de chef,
hésite, s'inquiète, se décourage et se débande. Il
peut fuir comme ses fidèles l'en supplient. Mais
fuir c'est perdre le visage adoré. Il paiera la joie de
le revoir de sa gloire, de sa liberté, de sa vie. Pas
un instant il ne met son honneur, le salut de son
armée et de son peuple en balance avec cette joie.
Il n'y a qu'un honneur et qu'une vertu qui est
d'aimer. Et quand on aime l'honneur et le devoir
est de se soumettre passivement et de soumettre
tout ce qui dépend de vous au bon vouloir de sa
maîtresse, fût-elle indifférente, fût-elle cruelle,
fût-elle enivrée de haine et de vengeance. Le code
des « lois d'amour » qui remonte au Moyen-âge
et que l'*Astrée* a formulé avec une stricte rigueur
s'oppose brutalement au code des lois héroïques.
Le véritable héros est celui qui met son héroïsme
à être l'esclave passif de la femme aimée.

Et c'est bien ce qui se passe dans *Timocrate*.
Un seul personnage est plus ou moins cornélien ;
c'est la reine d'Argos. Elle a juré de venger la
mort de son mari en prenant la vie de Timocrate.
Elle serait capable de tenir son serment, même
quand elle sait qu'il a été le sauveur d'Argos
contre Messène, même quand il est aimé de sa fille,
même quand elle sait qu'il s'est livré volontai-

rement pour retrouver celle qu'il aime. Mais il
se trouve que son énergie est toute verbale, que
les seules armes qu'elle puisse manier contre
Timocrate sont des imprécations, qu'elle ne peut
qu'assister aux événements sans pouvoir jamais
les conduire. Elle ne joue ainsi qu'un rôle bien
pâle. Tous les autres personnages ne sont là que
pour aimer. Crisphonte et Léontidas, « rois voisins »,
n'ont apparemment aucun souci de leur royaume
qui, sans doute, peut se passer d'eux. Ils n'ont pas
d'autre occupation que de conquérir le cœur et
la main de la trop charmante Eriphile. Nicandre,
« prince sujet de la reine d'Argos », se contenterait,
lui, de la main ; et quand Eriphile lui laisse entendre ou lui confirme qu'elle ne l'aime pas, il lui
rétorque que la reine a promis solennellement de
donner sa fille pour époux à celui qui vaincra
Timocrate et qu'il lui suffira, s'il est vainqueur,
d'être l'époux, même s'il n'est pas un époux aimé.
Ce n'est certes pas obéir au code des lois d'amour.
Mais cette brutalité n'a pas d'autre raison que de
mettre en lumière les perfections amoureuses du
héros Timocrate. Timocrate est fils de roi, puis
roi. Pourtant, depuis qu'il a rencontré et aimé
Eriphile, son royaume est le moindre de ses soucis.
Sans doute il n'est pas tout de suite résigné à
laisser les Argiens écraser ses Crétois. Il s'esquive
de l'armée d'Argos, réapparaît, comme Timocrate,
parmi les siens et leur rend la victoire. Mais ce

n'est pas par patriotisme. Il faudra bien quelque
jour qu'Eriphile découvre que le Cléomène aimé
d'elle est le Timocrate haï par elle et par sa mère.
Que deviendrait pour lors Timocrate roi d'un peuple vaincu et asservi ? D'ailleurs la victoire crétoise si elle arrange les affaires du peuple crétois
n'avance pas celles de Timocrate. Il est toujours
l'ennemi détesté dont la reine a, par serment,
décidé de demander la vie à tous ceux qui veulent
épouser sa fille et lui succéder sur le trône. On sait
que le moyen d'en sortir qu'il invente est de se
livrer comme prisonnier à la reine d'Argos, de
lui apporter sa tête. Que deviendra son peuple,
privé de lui, ce peuple qui allait être vaincu lorsqu'il n'était pas là et qui n'a pu vaincre que sous
son commandement ? Qu'il devienne ce qu'il
pourra ! On n'est pas roi pour régner, mais pour
aimer et pour donner, mieux qu'un autre, l'exemple du parfait amant.

Un parfait amant n'épouse pas s'il n'est pas
aimé. Et il doit d'abord tout tenter, honnêtement,
pour savoir s'il est aimé. Longtemps Timocrate
ne le sait pas avec certitude. La « gloire » d'une
femme et particulièrement d'une fille de roi
l'oblige à cacher les sentiments de son cœur ; elle
sait qu'elle devra épouser le plus souvent non pas
celui qu'elle aime mais celui que lui choisissent par
intérêt et par intérêt politique ses parents. Or
Cléomène, tout héros qu'il est, n'est apparemment

ni roi, ni fils de roi. Par surcroît, même s'il était assuré d'être aimé en tant que Cléomène, Timocrate est bien obligé de se demander ce que deviendra cet amour lorsqu'on saura qui il est. Nulle ruse ne peut éviter la confrontation. Seul un suprême sacrifice lui permettra de sonder le cœur d'Eriphile au péril de sa vie, par le sacrifice presque certain de sa vie. Comme Cyrus se livrera à Thomyris, Timocrate-Cléomène se livre à la reine d'Argos, heureux de mourir s'il sait qu'il est aimé et même s'il sait qu'il n'est pas aimé, car la vie sans Eriphile ne vaut pas d'être vécue :

Quoi qu'ordonnent les dieux je n'ai donc rien à
                                              [craindre,
Princesse ; mon destin est trop beau pour m'en
                                              [plaindre,
Et sans murmure aucun je m'en verrai trahi
Si je meurs assuré de n'être point haï.
. . . .
Quand par ce seul moyen il (*moi Timocrate*) vous
                                              [peut acquérir
Vous voulez qu'il le sache et qu'il n'ose mourir.

Pour Eriphile le devoir, son devoir de fille de roi, son devoir héréditaire de vengeance ne pèsent pas davantage devant l'amour. Elle n'a rien de ces filles impérieuses et hautaines que nous retrouverons plus loin et pour qui le héros le plus parfait et le plus aimé ne compte pas s'il ne conduit pas au trône qu'elles convoitent. Elle n'a rien non plus de ces amantes forcenées qui n'acceptent pas de n'être plus ou même de n'être pas aimées et pour qui jalousie signifie tout de suite vengeance et assassinat. Elle reste timide et incertaine. Mais dans cette incertitude entre le devoir et l'amour c'est, nécessairement, l'amour qui triomphe. Elle a aimé, laissé entendre à Cléomène qu'elle l'aimait bien qu'il ne fût pas roi. Elle l'aime encore quand elle sait qu'il est Timocrate, bien que Timocrate soit l'ennemi de sa race :

> Pourquoi, prince, pourquoi vous ai-je fait connaî-
> [tre ?
> Pour vous toujours du sort la funeste rigueur
> A contre mon devoir fait révolter mon cœur.
> Ce devoir autrefois l'empêchant de se rendre
> Pour aimer Cléomène il ne le put entendre ;
> Et maintenant encor, quoi qu'il ose tenter
> Pour haïr Timocrate il ne peut l'écouter.

Dans une pareille tragédie galante il pourrait y avoir quelque vérité et quelque poésie. Il y en a dans la *Sylvie* de Mairet et dans les *Bergeries* de Racan (sans parler de l'*Astrée*) où les lois d'amour sont à peu près les mêmes. Ce qui les rend artificielles (et souvent même inextricables), c'est une autre mode par où le goût précieux cherche à renouveler la vieille tradition, et ne réussit qu'à l'empêtrer. Cette mode est celle des curiosités psychologiques, de ce qu'on appelle les « finesses » et les « délicatesses » du cœur. Marivaux saura le

premier, choisir celles qui sont les plus humaines,
les plus naturelles et nous en donner une expression
à la fois délicate et vivante. Mais son théâtre, loin
d'être, comme on le dit trop souvent, une sorte de
révélation sans précédent, n'est que l'aboutisse-
ment d'une mode qui commence un siècle avant
lui et qui, peu à peu, s'est assagie et épurée. Cent
ans avant *le Jeu de l'amour et du hasard* on veut
déjà connaître les secrets des cœurs, les découvrir
dans leurs replis les plus cachés. J'ai dit, dans mon
Histoire de la littérature classique, le rôle joué par
cette curiosité, ce goût de la complication psychologique et dans les salons et dans toute la littérature. Le moyen âge, le XVIe siècle avaient goûté
les procès d'amour et les « arrêts d'amour ». On
les retrouve dans l'*Astrée*. Les salons précieux les
allègent en se posant inlassablement des *Questions
d'amour* où la comtesse de Brégy fut la plus célèbre
questionneuse : « Lequel est moins avantageux
pour la gloire d'un amant : ou qu'il change le
premier ou qu'on le change ? — Si un véritable amant peut être gai ou se réjouir pendant l'absence de sa maîtresse ? — Une femme
peut-elle aimer un mari qui ne l'aime pas ? ».
Louis XIV lui-même s'intéresse aux questions
d'amour. C'est lui qui donne à Quinault l'ordre
de répondre en vers aux questions de la comtesse de Brégy : «Si l'on doit haïr quelqu'un de ce
qu'il nous plaît trop quand nous ne pouvons lui

plaire ? » (C'est une partie du sujet d'*Andromaque*).
Réponse :

> Doutez-vous si l'on doit aller jusqu'à la haine ?
> Ah ! sans doute on le doit et le destin le veut ;
> Mais je ne sais si l'on le peut.

Il est donc aisé de comprendre que les tragédies
de Quinault et de Thomas Corneille aient été
très souvent des « Questions d'amour », un effort
l'exposé et d'explication psychologique de tous
les mystères de l'amour. *Timocrate* en est un
exemple, parmi vingt autres.

Le procédé le plus commun est celui que nous
appellerons les « complexes ». Entendons que
l'âme des personnages est partagée entre deux ou
trois sentiments ou passions qui sont en conflit.
Sans doute les complexes sont partout. Et il n'y
a guère de pièce de théâtre, tragique ou comique,
qui ne repose, au moins en partie, sur l'un de ces
conflits. Dans les tragédies de type cornélien le
conflit est net, brutal et la volonté héroïque peut
prendre une décision franche qui tranche tout :
conflit de l'amour et d'un autre intérêt parfois
avec le devoir ou, le plus souvent, avec l'ambition.
Dans les tragédies du type galant le conflit n'est
plus un heurt brutal, c'est une gêne, un tourment
lancinant mais qui ressemble à ceux que la vie
nous impose communément. C'est le cas pour
l'Eriphile de notre *Timocrate*. Elle croit que

Timocrate l'aime. Mais ce Timocrate qui lui paraît si droit et si sincère agit et parle à l'occasion d'une façon bien déconcertante. Nous en savons la raison qui est sa double personnalité de Cléomène et de Timocrate. Eriphile l'ignore. Et elle a trop souvent l'impression de se trouver en présence d'un être double et inquiétant. Par exemple le roi de Crète envoie son ultimatum à la reine d'Argos : mariage de mon fils Timocrate avec votre fille Eriphile ou la guerre. La reine réunit son conseil. Les autres prétendants à la main d'Eriphile, Cresphonte, Léontidas, Nicandre, disent, tout d'une voix : « Répondez *non*. » Seul Cléomène s'oppose : « Acceptez ». Nous savons bien pourquoi, puisqu'il est Timocrate. Mais Eriphile n'a pas la clef du mystère. Et elle est bouleversée. Comment cet homme dont elle se croit aimée et qu'elle aime peut-il conseiller de la marier à un autre ? Timocrate, habile dans la dispute autant que dans l'action, se tirera d'affaire en invoquant les lois du parfait amant. Le parfait amant ne peut vouloir que le plus grand bien de sa maîtresse. Le plus grand bien d'une fille de roi c'est d'épouser un fils de roi et de devenir deux fois reine : de la Crète par son mariage et d'Argos par sa mère. Eriphile doit-elle être touchée par cet esprit de sacrifice ou révoltée d'instinct par la facilité de ce renoncement ? Il y a conflit, conflit naturel et commun, entre le besoin de

confiance absolue dans l'être qu'on aime et le
soupçon du mensonge. Autres conflits et non moins
naturels entre son amour pour un héros de naissance inconnue et la loi qui, de son temps, impose
aux filles de roi de n'épouser qu'un roi ou un fils
de roi, ou entre son amour pour Cléomène et la
révélation que ce Cléomène est le Timocrate détesté
que sa mère a juré de faire périr. Rien de tout cela
ne nous sort de l'ordre commun et ne nous transporte dans des situations et dans des âmes qui
soient exceptionnelles.

Mais de pareils complexes ne suffisent pas à
l'esprit galant et précieux. Il lui faut des situations
plus rares et plus troubles où les raisons de décider
soient beaucoup plus fuyantes. On s'ingénie à
découvrir des cas rares, de véritables curiosités
psychologiques. Le plus extravagant de ces cas,
et pourtant celui qui eut le plus de succès, est
justement celui de Timocrate. Timocrate doit-il
se réjouir d'être aimé en tant que Cléomène ou
se désespérer d'être détesté en tant que Timocrate ;
et doit-il agir en tant que Cléomène, en assurant
la victoire d'Argos sur ses propres troupes ; ou
en tant que Timocrate en poursuivant la victoire
de la Crète et la défaite d'Argos, l'humiliation de
celle qu'il aime ? A cet insoluble problème notre
subtil Timocrate apporte l'une de ces solutions
qui, comme le dit Molière, méritent des « ah ! ».
La reine d'Argos a promis sa fille à qui lui amène-

rait Timocrate, mort ou vif. En tant que Cléomène
il annonce qu'il a fait prisonnier Timocrate et
qu'il l'amène. On découvre que ce prisonnier n'est
pas le roi de Crète. Qu'importe ! Je vous amène
tout de même Timocrate, puisque c'est moi qui
suis Timocrate. Pour nous c'est absurde. Pour
les contemporains, c'était délicieux ; si délicieux
que des dramaturges rivaux ont emprunté la
situation à Thomas Corneille pour s'assurer le
même succès. Dans le *Cresphonte* de Gilbert (1659),
Cresphonte s'est fait aimer, sous le nom de Scamandre, de Mérope, fille de Cypsèle, roi d'Arcadie,
alors que, comme Cléomène-Timocrate, il s'y
couvrait de gloire en chevalier errant. Puis il est
retourné chez lui pour y régner sous son nom de
Cresphonte. Et Cresphonte, à la tête de ses troupes,
assiège le roi Cypsèle. Bien mieux, il se déguise
en son propre ambassadeur pour venir négocier
cette paix qui donnerait à Cresphonte la main
de Mérope. Mais Mérope hait Cresphonte ; et
d'ailleurs elle n'a pas cessé d'adorer le beau, mys-
térieux et disparu Scamandre. Et Cresphonte-
Scamandre s'inquiète et se réjouit à la fois, en
exerçant son esprit à des pointes délicates :

Je chéris ce rival à l'égal de moi-même,

puisque ce rival c'est lui-même. Gilbert reprend
la même situation, en 1664, dans la tragi-comédie
des *Amours d'Angélique et de Médor*. Et Quinault

l'exploite avec un zèle encore plus ingénieux dans *Agrippa, roi d'Albe, ou le faux Tibérinus*. Le roi Tibérinus règne, après avoir traîtreusement fait périr son rival Agrippa qu'adorait Lavinie. En réalité c'est Tibérinus qui est mort, par accident ; et le faux Tibérinus est Agrippa. « Je vous hais », dit Lavinie à celui qu'elle croit Tibérinus. (Par quel prodige n'a-t-elle pas reconnu Agrippa dans Agrippa-Tibérinus ? A-t-il laissé pousser sa barbe et pris des lunettes ?) Elle le hait non pas parce qu'il a assassiné — c'est le droit des rois, au moins dans nos tragédies, pourvu qu'ils aient réussi — mais parce qu'il a fait périr celui qu'elle adore toujours. Et Tibérinus-Agrippa de se réjouir en son cœur, et en propos à double entente où les autres n'entendent goutte. Gageons, dit-il à Mézence, que je me ferai aimer en un tournemain de cette adorable furie, bien que j'aie massacré celui qu'elle adorait. Plus elle me hait, raisonne-t-il, plus j'ai la preuve que je suis aimé :

> Sa rigueur n'aura rien que de charmant pour moi ;
> Ses dédains me seront des garants de sa foi.

Il va sans dire que tous les complexes ne sont pas tirés d'aussi surprenantes situations. Mais l'imagination de nos dramaturges n'est jamais à court. Voici quelques-unes des explorations de Thomas Corneille dans le pays de Tendre : Hippias se croit Pyrrhus *(Pyrrhus)* et il aime Déidamie

d'une tendresse qu'il croit toute fraternelle puisqu'il la tient pour sa sœur. Il a pourtant horreur
du projet de mariage avec le roi Neoptolemus. Il
voudrait qu'elle n'aimât personne. La cornélienne
Placidie *(Stilicon)* aime en secret Eucherius, fils
de Stilicon, le favori de l'empereur Honorius ;
mais, fille de l'empereur, elle ne peut épouser
qu'un roi : « Qu'il soit fait, dit Euchérius qui se
croit dédaigné, selon votre volonté ». Et il plaide
éloquemment pour qu'elle épouse le roi Alaric.
« Le misérable, gémit Placidie, il devait deviner que

Je ne l'ai dédaigné que parce que je l'aime.
....
C'est aimer lâchement qu'avoir tant de vertu.

Et puis Eucherius est accusé d'avoir tramé un
complot contre Honorius ; il va périr ; et Placidie
est partagée entre l'espoir qu'il est innocent, pour
qu'il ne périsse pas et le désir qu'il soit coupable
parce qu'il serait assassin par amour pour elle,
pour donner la couronne à son père Stilicon, pour
être fils d'empereur, pour pouvoir ainsi l'épouser.
Dans *Camma*, trois personnages se débattent
dans des complexes. Sinorix, qui aimait la reine
Camma a empoisonné secrètement le roi son mari ;
il a pris sa place et veut prendre sa veuve. Sans
qu'il s'en doute Camma connaît son crime. Mais
elle consent (pour sauver Sostrate qu'elle aime) à
l'épouser. Sinorix est heureux d'obtenir celle qu'il

adore. Mais il est tourmenté par les remords et par la pensée que Camma l'épouse par politique et non par amour. De son côté Camma a cru assouvir sa vengeance ; elle a pu lever le poignard sur Sinorix qui lui tournait le dos. Mais Sostrate a arrêté son bras, fait tomber le poignard et s'est accusé de l'attentat. Camma le maudit pour l'avoir frustrée de sa vengeance et le bénit parce qu'il sacrifie sa vie pour la sauver. Sostrate, lui, la bénit parce qu'elle veut le sauver en consentant à épouser celui qu'elle hait et la maudit parce qu'il l'aime et parce qu'elle se donne à un autre. Même un personnage secondaire, Hésione, nous donne le ragoût d'un état d'âme discordant. Elle se croit aimée de Sostrate, mais elle aime Sinorix qui l'a trahie pour s'éprendre de Camma. Trahie, elle a juré de faire périr l'infidèle. Elle bénit donc Sostrate parce qu'il a tenté de tuer Sinorix ; et elle le maudit pour avoir tenté de la frustrer de sa vengeance.

Quinault n'est pas moins riche en complications sentimentales. Thomyris *(la Mort de Cyrus)* croit que Cyrus est responsable de la mort de son fils. Elle a juré de le faire périr ; mais, dès qu'elle le voit, l'amour s'insinue sous les apparences de la haine :

> Et croyant mieux haïr je commençais d'aimer.

Elise *(Astrate)* s'est éprise du héros Astrate dont elle a fait périr le père et les deux frères. Elle

comprend qu'il se venge, mais voudrait qu'il ne
la haïsse pas :

> vengez-vous ; mais hélas !
> Astrate, s'il se peut, ne me haïssez pas !

Astrate comprend qu'il devrait se venger ; mais
il sent qu'il ne peut que pardonner et aimer.
Séleucus *(Stratonice)* va, par politique, épouser
Stratonice alors qu'il aime Barsine ; mais il voudrait que Barsine, au lieu de lui pardonnei, témoigne qu'elle l'aime toujours en criant sa colère et
son désir de vengeance. Aristonne *(le Mariage de
Cambise)* aime Darius sans savoir qu'elle en est
aimée. Cambise, en se cachant pour écouter la
conversation, oblige Darius à plaider auprès d'Aristonne pour qu'elle l'épouse, lui, Cambise. Aristonne, ignorant la contrainte que subit Darius,
est indignée :

> Je voudrais qu'il *(Darius)* m'aimât pour mieux
> [sentir ma haine.

Darius lui dira qu'il l'aime ; mais que c'est justement parce qu'il l'aime qu'il veut se sacrifier à
sa gloire et la voir reine, femme de Cambise.

Evidemment rien de tout cela n'est simple.
Sans doute le bon théâtre ne vit pas nécessairement
de sentiments simples. Il n'est pas simple d'aimer
comme Ruy Blas, étant laquais, une reine d'Es-
pagne inabordable. Il n'est pas simple, quand on
est Cyrano, intelligent et laid, de tomber amou-

reux d'une précieuse qui n'est pas bête et rayonne
de beauté ; et, sachant que l'on ne saurait être
aimé, de servir les amours d'un ami qui est beau,
qui est élégant, mais qui n'a ni conversation, ni
finesse, en tenant pour lui des propos d'amour.
Malheureusement nos dramaturges du XVIIe siècle
qui ont voulu peindre les sentiments complexes
et subtils n'ont fait aucun effort pour nous
débrouiller leurs complications et nous guider dans
leurs subtilités. Bien au contraire, ils cèdent à une
autre mode de l'esprit précieux. Les précieux vrais,
même quand ils sont ridicules, ne parlent pas,
vers 1660, comme ceux de Molière. Ils ne disent
pas les *commodités de la conversation* au lieu de
chaises et *fouteuils*, ni *l'âme des pieds* au lieu
des *violons* de la danse. Ils n'éprouvent pas le
besoin de continuer indéfiniment une métaphore
et, s'ils parlent de vers tout nouveau nés, de les
conduire au berceau et d'entourer de soins leur
enfance. C'est une mode qui fait fureur vers 1600-
1630, mais qui est bien passée vers 1650. La Carte
du Tendre est un jeu d'esprit et non pas un modèle
du langage amoureux. Le style précieux vrai, à
cette date, ne fait violence ni au vocabulaire ni,
bien entendu, à la grammaire qui régente alors
jusqu'aux rois. Il use beaucoup moins des métaphores que le style lyrique d'un Boileau ou d'un
Jean-Baptiste Rousseau ou celui d'un Lamartine et
d'un Victor Hugo. Et pourtant il a besoin de parler

d'une façon rare et singulière. S'il prétend exprimer des sentiments subtils et des âmes compliquées il se refuse à les traduire en faisant appel à l'expression qui élucide. Un autre jeu d'esprit qui fait alors fureur et qui fera fureur jusqu'au début du XVIIIᵉ siècle est celui des *énigmes* : énigmes en vers ou en prose, dont on publie des recueils, énigmes en estampes dont les lecteurs du *Mercure* seront friands. Aussi, lorsque parleront dans des situations énigmatiques des personnages énigmatiques on les fera parler constamment par énigmes. En fait, un certain nombre des tragédies aujourd'hui parfaitement oubliées et illisibles ont des sujets ingénieux assez adroitement conduits. La psychologie des personnages n'est pas du tout une psychologie de convention. Ils sont placés dans des situations qui sont, nous le verrons, les situations mêmes des héros raciniens. Les sentiments qu'ils éprouvent sont, plus grossièrement, ceux mêmes que Racine prête aux siens. Ce qui rend trop souvent les pièces illisibles c'est leur style. Non pas un style involontairement gauche et pénible ; mais un style consciemmment contourné, volontairement obscur où il s'agit de laisser deviner la pensée en se refusant à l'exprimer clairement. La mode est au galimatias simple qui va parfois jusqu'au galimatias double. On s'étonne communément et à bon droit du style d'Emilie dans le monologue qui ouvre Cinna (« Enfants impétueux

de mon ressentiment... »). Par une sorte d'instinct
du génie, Corneille s'est gardé de ce style dans
ses chefs-d'œuvre. Il lui a trop souvent sacrifié
dans ses pièces qui ne sont pas des chefs-d'œuvre.
Encore y a-t-il mis une certaine discrétion. Les Thomas Corneille, les Gilbert, les Boyer, les Quinault
et les autres ont vogué au contraire à pleines voiles
sur cette mer des obscurités et des flots confus [1].

Le sujet de *Timocrate* et des autres tragédies de
« pseudos » y prête, bien entendu, tout particulièrement. Comme on n'y est pas celui qu'on
paraît être et que, à un moment donné, on voudrait
bien laisser deviner qui l'on est, il faut dire les
choses sans les dire, tout en les disant. C'est le
cas de notre Timocrate. Il se sait aimé en tant que
Cléomène. Mais il sait aussi qu'il est détesté en
tant que Timocrate. Qu'arrivera-t-il lorsque Eriphile saura que Cléomène est Timocrate ? Il lui
faut sonder le terrain. Il imagine, par exemple,
de dire à Eriphile que s'il a pu s'emparer de Timocrate c'est parce que ce Timocrate adore Eriphile
(où a-t-il bien pu la voir ?) et que, pour la voir, il
s'est volontairement constitué prisonnier. Il lui
faut tâcher de suggérer à Eriphile que ce Timocrate détesté dont on veut « furieusement » la
mort n'est pas en réalité si détestable et qu'il
faut avoir au moins pitié de lui. Bien entendu

---

1. J'y reviendrai en étudiant le style de Racine.

Eriphile ne comprend rien à ce plaidoyer (comment,
en effet, pourrait-elle en deviner les raisons — et
comment Cléomène-Timocrate peut-il croire qu'elle
les devinera ?). Mais le spectateur lui-même,
tout intéressé qu'il est, a du mal à y voir plus
clair ; et le lecteur s'y empêtre encore plus :

> Mais ce qui fait ma peine et mes inquiétudes
> C'est de vous voir pour lui des sentiments si rudes
> Que je n'ose espérer qu'un généreux effort
> Vous fasse plaindre au moins le malheur de sa mort.

ERIPHILE

> Quoi, de celle d'un père un ennemi coupable
> D'une lâche pitié m'éprouverait coupable !

CLÉOMÈNE

> Hélas !

ERIPHILE

> Achève, parle, explique ce soupir.

CLÉOMÈNE

> Comment les expliquer s'ils choquent vos désirs ?
> L'ardeur qu'à vous servir mon courage déplore
> Fait sans doute et mes soins et ma plus forte joie ;
> Mais quoique mon amour l'ait toujours su borner
> A l'aveu glorieux qu'on vient de me donner
> Un reproche secret que malgré moi j'écoute
> M'arrête incessamment sur le prix qu'il me coûte.
> Aux aveugles désirs d'un transport furieux
> Il m'a fait immoler un roi victorieux ;
> Et cet effort est tel qu'à l'avoir su comprendre
> Vous m'auriez moins poussé peut-être à l'entre-
> Etc.   [prendre.

Sans doute l'embarras du style peut avoir pour
prétexte l'embarras de la situation. Mais il arrive
constamment qu'il soit gratuit et que tout l'effort
du poète soit d'exprimer obscurément ce qu'il
pourrait dire avec clarté et simplicité. Rappelons,
par exemple, que Cléomène-Timocrate a plaidé
devant la reine et Eriphile pour qu'on accepte
l'ultimatum des Crètois et qu'on donne Eriphile
en mariage à Timocrate, tandis que ses rivaux en
amour, Cresphonte, Léontidas et Nicandre repous-
saient l'ultimatum avec indignation. Eriphile,
qui se croyait aimée de Cléomène, est toute pleine
de stupeur et de colère. Expliquez-vous, crie-t-elle
à Cléomène. Et Cléomène éprouve le besoin de
s'expliquer avec des pointes :

> Ah ! daignez mieux juger du zèle qui m'anime,
> D'un tel excès d'amour ne faites pas un crime ;
> Et dans ce même avis, suspect de lâcheté,
> Voyez jusqu'où pour vous ce respect m'a porté.
> Il m'a fait renoncer à tous ces avantages
> Qu'un glorieux espoir permet aux grands courages ;
> Afin de mieux aimer j'ai voulu vous haïr ;
> Et je me suis trahi, de peur de vous trahir.
> . . . .
> Et contre vos soupçons les dieux me sont témoins
> Que j'eusse été perfide en le paraissant moins.

Il y a mieux, c'est-à-dire bien pis. Par exemple
la reine, par un serment solennel, a promis la
main de sa fille à celui qui lui livrerait Timocrate,
vivant ou mort. « Tout va bien, s'écrie Nicandre,

en s'adressant à Eriphile, vous êtes à moi. » Eriphile, qui aime secrètement Cléomène, ne laisse pas d'être inquiète. Elle réplique à Nicandre qu'un galant homme, qu'un parfait amant doit conquérir le cœur de sa maîtresse avant, pendant ou après la conquête d'un royaume ; et qu'au surplus un vrai brave combat et triomphe pour la gloire et non pas pour obtenir une femme. Les raisons qu'elle oppose à Nicandre sont peut-être mauvaises ; du moins elles pourraient être claires. Mais elle en fait du galimatias triple :

> Non, non, Nicandre, non ; cessez de vous contraindre
> Je connais quel sujet vous avez de vous plaindre
> Et vous craignez en vain que je prenne intérêt
> Au juste désaveu d'un prix qui vous déplaît.
> Quelque pressant devoir qui hâte sa vengeance,
> A trop d'emportement la reine se dispense
> Quand, pour vous animer à servir son courroux,
> Elle prend hors de vous ce qui doit être en vous :
> Un cœur qui s'abandonne au désir de la gloire
> N'a jamais que soi-même à consulter et croire ;
> Et quoi qu'il fît de grand il aurait à rougir
> Si sa propre vertu ne le faisait agir.
> Ainsi, dans ce combat où l'honneur vous engage,
> L'espoir de mon hymen n'est qu'un pompeux
> [outrage ;
> Et loin que son refus irrite sa fierté,
> Je me plains avec vous de son indignité...

On comprend que Nicandre ne se déclare pas convaincu.

Evidemment, il n'y a rien de ce style dans

Andromaque. Et il n'y a rien non plus de ce qui faisait les agréments de *Timocrate* pour les spectateurs de 1656. Rien du romanesque échevelé de la pièce. Pas de chevalier errant qu'on aime, à son cœur défendant, bien qu'il ne soit pas un roi. Pas de personnage qui ne soit pas ce que l'on croit qu'il est. Pas d'amant glorieux d'être aimé sous son faux nom et transi à la pensée qu'on le déteste sous son nom vrai. Pas de héros qui préfère mourir près de celle qu'il aime plutôt que d'être séparé d'elle par une victoire qui le ferait sans doute détester. S'il n'y avait pas eu, entre 1656 et 1667, des tragédies d'un autre type que *Timocrate* on pourrait dire qu'*Andromaque* aurait été une absolue nouveauté et le plus soudain, le plus incroyable des miracles. Il n'en est rien et nous allons, de suite, découvrir « Racine avant Racine », abondamment.

CHAPITRE II

LA TRAGÉDIE GALANTE ET FRÉNÉTIQUE.

Attachons-nous d'abord à un exemple : l'*Amalasonte* de Quinault (1657).

ACTE PREMIER

Amalasonte, reine des Goths et d'Italie a, pour favori Théodat, fils de Theudion « régent des états d'Amalasonte ». Il aime Amalasonte et en est ardemment aimé. Tout irait bien et ils n'auraient qu'à s'épouser s'ils n'étaient pas menacés par des périls cachés. Le prince Clodésile hait Amalasonte parce qu'elle a fait périr son père ; et il veut l'épouser pour devenir son maître et mieux la faire souffrir. Il s'agit d'abord de perdre Théodat. Clodésile s'entend donc avec Justinien, empereur d'Orient, ennemi des Goths et de l'Italie. Justinien écrit à Théodat une lettre comme si celui-ci était son complice dans un complot contre Amalasonte. La lettre est soi-disant interceptée par Clodésile, et remise par lui à la reine. Clodésile sera soutenu dans ses intrigues par sa sœur Amalfrede ; non pas qu'elle ait pour lui la moindre affection ; elle le méprise pour sa noirceur. Mais elle aime Théodat et il lui importe d'abord, par n'importe quel moyen, de séparer les deux amants. Sa rage est d'autant plus grande que c'est à elle que Théodat s'adresse pour plaider sa cause auprès d'Amalasonte :

Moi, servir Théodat en m'outrageant moi-
[même !
Non, je le dois trahir d'autant plus que je
[l'aime...

Et elle possède un admirable moyen de le trahir.
Théodat lui a remis un billet qu'elle doit porter
à la reine. Elle ouvre le billet. Il est naturellement
en vers et en « termes galants » :

Merveille, où brillent tant d'appas,
Encor que la plus forte envie
Du prince à qui je dois la vie (*son père Theudion
qui le croit coupable du complot avec Justinien*)
Soit de m'exposer au trépas,
Ce n'est qu'au léger supplice
Que la nature (*c'est-à-dire son père*) me trahisse,
Si l'amour ne me trahit pas.
Bien que mon malheur soit pressant,
Votre pitié que je réclame
Pour rendre la joie à mon âme
Est un secours assez puissant ;
Il m'est fort peu considérable,
Que chacun m'estime coupable
Si vous m'estimez innocent.

Malheureusement pour Théodat ce billet ne porte
point de nom. La merveille où brillent tant d'appas
peut-être aussi bien Amalfrede qu'Amalasonte et
l'on devine qu'Amalfrede s'en servira. « J'ai reçu
ce billet ; c'est moi que Théodat aime ; il vous
trahit. »

A l'acte II, Théodat comparaît devant Amalasonte
incertaine entre son amour et la preuve apparente
de sa trahison. Certes il serait bien facile à l'accusé
de se justifier devant une femme toute disposée

à le croire. Il sait bien qu'il n'a jamais eu la moindre
entente avec Justinien et que la lettre de ce dernier
est une machination dirigée contre lui. Il n'aurait
qu'à l'affirmer énergiquement. Et il suffirait
d'ailleurs d'une enquête pour faire la preuve de
la machination. Mais comment résister au plaisir
du galimatias double qui embrouille tout :

Je n'ai rien fait pour vous que mon cœur
                                     [désavoue,
Rien dont ma raison même en secret ne me
                                     [loue ;
Et votre Majesté ne me saurait blâmer
Que d'avoir trop aimé ce que je dois aimer.
Oui, bien que contre moi cet aveu vous anime,
Si je suis criminel mon amour est mon crime ;
Mais ce crime est si beau qu'il faut vous avertir
Que je mourrai plutôt que de m'en repentir.

Amalasonte n'a pas tort de répliquer que là n'est
pas la question, qu'elle serait bien contente de lui
pardonner d'avoir aimé sa reine, mais qu'il est
accusé d'avoir voulu perdre celle qu'il prétend
aimer. A quoi Théodat, avec une admirable obstination, continue à répondre en s'enfonçant plus
profondément dans l'amphigouri :

          Je n'ai rien à répondre.
Cette accusation suffit pour me confondre.
Plus d'un engagement me soumet à vos lois ;
Vous êtes ma partie et mon juge à la fois ;
Et votre Majesté n'a plus besoin d'excuse
Puisqu'elle me condamne alors qu'elle m'accuse.
Le crime qu'on m'impute est digne du trépas ;
Tous mes jours sont à vous, ne les épargnez
                                     [pas.

Mais en m'ôtant la vie au moins qu'il vous sou-
                                        [vienne
Qu'on ne m'ôtera rien qui ne vous appartienne.
L'honneur que vous m'ôtez fait mes plus rudes
                                        [coups,
Mais si j'aime l'honneur ce n'est pas plus que
                                        [vous.
Par un effort d'amour qu'à peine on pourra croire
Je veux même immoler ma gloire à votre gloire.
Je puis confondre ici l'écrit de l'empereur ;
Mais faire voir ma foi, c'est montrer votre erreur.
Et je ne puis, princesse aimable autant qu'au-
                                        [guste,
Me nommer innocent sans vous nommer injuste.
Je consens à périr plutôt qu'à faire voir
Qu'une âme si brillante a pu se décevoir ;
Et j'aime mieux souffrir un injuste supplice
Que de convaincre ici ma Reine d'injustice.

C'est seulement en fin de compte et après avoir
dessiné de nouvelles et galantes arabesques autour
d'une réponse à une accusation précise que Théodat
consent à affirmer qu'il est victime d'un complot
et à donner les raisons de ce complot. Non sans
terminer par de nouvelles et copieuses galanteries :

Oui, pour peu que ce feu puisse encore vous plaire
Au moment qu'il me brûle il faut qu'il vous
                                        [éclaire,
Et malgré ce forfait justement dénié,
Si je ne suis haï je suis justifié.
Mais je perds tout espoir si je perds votre estime ;
Je dois plus craindre ici votre haine qu'un crime.
Je ne me défends plus si vous me haïssez,
Et ma mort...

De si tendres propos ont convaincu Amalasonte qui ne demandait qu'à l'être. Mais Amalfrede survient avec une nouvelle et plus redoutable accusation : c'est le billet galant

Merveille où brillent tant d'appas...

« Voici ce que m'écrit Théodat, que je n'aime pas, mais qui m'oblige par des menaces, à recevoir ses déclarations ». Amalasonte est accablée :

O ciel que j'ai d'horreur pour cette trahison !
Que je hais cet ingrat !

Et quand l'ingrat se présente elle lui interdit de la voir jamais. Théodat, consterné, n'a pas changé de sentiment :

Ma vie est votre bien ; mon but est de vous
[plaire;
C'est mon soin le plus cher et le plus important;
Et si ma mort vous plaît je dois mourir content.

ACTE III

Clodésile déclare à Amalfrede qu'il faut à tout prix se débarrasser de Théodat. Il en a trouvé le moyen proche et très sûr. Et Amalfrede est fort satisfaite de voir périr un homme qui s'obstine à aimer la reine et non pas elle :

Je sens que je verrais sa mort avec plaisir,
Et si d'un coup mortel... Mais j'aperçois mon
[frère.

« C'en est fait, dit le frère ; il est mort par un
[noble attentat. »

Mais Amalfrede trouve soudain que l'attentat est abominable :

> Quoi ses beaux jours aux miens par l'amour
> [enchaînés
> Par ta rage barbare ont été terminés ?
> Quoi, tu viens d'égorger cette illustre victime
> A qui trop de mérite a tenu lieu de crime ?
> Ce héros, par tes coups lâchement abattu
> Qui n'eut pour ennemis que ceux de la vertu ;
> Et qui par un malheur qui n'est pas ordinaire
> Te déplut seulement pour avoir trop su plaire.
> Quoi, tu m'as pu ravir un objet si charmant
> Et tu crois échapper à mon ressentiment ?

Survient Amalasonte. « J'ai décidé, dit-elle, la mort (*de Théodat*). — Tout va bien, réplique Clodésile, il est mort ».

AMALASONTE

Dieux ! que me dites-vous ?

CLODÉSILE

Qu'il est tombé sans vie et tout couvert de coups
Et que son meurtrier...

AMALASONTE

Il en mourra, le traître.
Hé bien, son meurtrier ?

CLODÉSILE.

Ne s'est pas fait connaître.

AMALASONTE

Ne m'apprendrez-vous point ce qu'il est devenu ?

CLODÉSILE

Non, Madame, et sans doute il craint d'être
[connu.

AMALASONTE

Que l'on cherche partout ce traître et ses com-
[plices ;
Je les ferai périr au milieu des supplices.

Mais la recherche est inutile. Théodat lui-même
apparaît, bien vivant ; mais chargé d'un nouveau
crime. Celui qu'on a assassiné, dans un sombre
« petit degré », c'est le seigneur Arsamon et l'on a
trouvé près de son cadavre Théodat tout interdit.
Cette fois Théodat consent à se défendre directement
et clairement. Il a reçu d'Arsamon l'ordre de se
rendre près de la reine. Il obéissait, accompagné par
Arsamon, lorsque celui qui en voulait à ses jours,
trompé par l'obscurité, a tué Arsamon au lieu de
lui. La reine l'en croirait sans doute, mais elle n'a
pas oublié le billet galant et l'amour du traître
pour Amalfrede. Que l'on s'assure d'un Théodat
qui, s'il n'est pas un assassin, a tout au moins
assassiné son cœur en la trahissant :

Qu'il soit dans la tour soigneusement gardé
Jusqu'au temps où son sort doit être décidé.

La décision d'ailleurs déchire l'âme d'Amalasonte.
Elle transige avec elle-même :

L'ingrat ne peut mourir sans m'empêcher de
[vivre,
Ce soir secrètement je veux qu'on le délivre ;

à condition qu'il ne la revoie plus jamais... non, à
condition

Qu'il puisse consentir
A me voir malgré moi devant que de partir.

« N'en faites rien, conseille Amalfrede, c'est imprudent,

On n'aime point à voir ce que l'on veut haïr ».

Mais Amalasonte est décidée :

Fais ce que je t'ai dit. Je prendrai soin du reste.

ACTE IV

Théodat déclare à Amalfrede qu'il ira voir la reine. C'est un crime, objecte Amalfrede puisqu'elle l'a défendu. Oui, mais c'est un beau crime, réplique Théodat, fidèle au galimatias :

Hé bien, que pour un crime on prenne tous mes
[soins
Quand j'aurai plus de tort la reine en aura
[moins.
Je dois aimer sa gloire et, quoi qu'il en advienne,
Ici mon injustice amoindrira la sienne ;
Et comme ingrat sujet, quoique fidèle amant
Elle pourra du moins me haïr justement.

Sur quoi Amalfrede trouve le moyen d'entretenir la reine hors la présence de Théodat. Elle confirme que Théodat ne veut aimer qu'elle Amalfrede et qu'il refuse de voir Amalasonte, à moins qu'on ne l'y force. Monologue désespéré de la triste Amalasonte :

Esclave infortuné que j'entends qui soupire.
Cœur lâche, aveugle auteur des maux que j'ai
[soufferts,
N'es-tu point las encor d'avoir porté des fers...

Épuisée elle « s'endort sur un fauteuil » ! Sur-
viennent Théodat et Amalfrede. Amalfrede se sent
perdue si Amalasonte, réveillée, permet à son amant
de s'expliquer sur le billet galant. Brusquement
« elle tire l'épée de Théodat, s'avance vers la reine
comme pour la frapper ». Théodat lui arrache l'épée.
Mais Amalasonte ouvre les yeux. Elle voit l'épée
nue dans la main de Théodat. Sans nul doute il
voulait l'assassiner. « Oui, confirme Amalfrede,
c'est moi qui ai arrêté son bras. Il voulait vous faire
disparaître, monter sur le trône et me décider ainsi
à l'épouser. Pour se justifier Théodat a recours,
une fois encore au galimatias :

Je vois que cet amour (*d'Amalfrede*) me coûtera
                                    [bien cher ;
Mais ce n'est pas à moi de vous le reprocher.
Je ne saurais qu'à tort quoi que je me propose
Me plaindre d'un effet dont j'ai produit la
                                    [cause.
L'amour vous fait agir ; je suis aussi sa loi
Et dois souffrir en vous ce que je souffre en
                                    [moi...

Une fois encore et non sans raison, Amalasonte
n'entend rien au galimatias. Sans aucun doute
Théodat est coupable. Peu importe, conclut Théodat, obstiné dans le galimatias. Si je suis innocent
j'ai tout l'air d'un coupable, et ma Princesse n'aura
pas le remords d'avoir commis une injustice :

Et votre Majesté jugeant sur cet indice
Peut perdre un innocent sans faire une injus-
                                    [tice.
Le succès est cruel, mais il me semble doux
En ce qu'il justifie au moins un crime en vous.

Mais, cette fois, la résolution d'Amalasonte est inflexible. Théodat est emprisonné. Sans doute Clodésile feint, pour accroître sa colère de lui demander sa grâce. Elle semble (au désespoir de Clodésile) la lui accorder, en confiant à Clodésile une lettre qu'il devra remettre à Théodat. Nous apprendrons ce qu'il en est à l'

ACTE V

Amalfrede est toujours déchirée entre l'amour et la fureur jalouse :

Hélas ! de Théodat je suis toujours amante
Plus ma flamme est cachée et plus elle est ar-
[dente.
Nuirais-je à ses amours si je ne l'aimais pas ?
Et puis je, si je l'aime, endurer son trépas ?
. . . .
Sa vertu convertit, tant ses charmes sont forts,
Ma furie en tendresse et mon crime en remords
Et comme le dépit dont j'eus l'âme saisie
Fit transformer en moi l'amour en jalousie,
Je sens que la pitié fait aussi qu'à son tour
La jalousie en moi se transforme en amour.

Ce qui ne manquerait pas de pathétique si notre Amalfrede n'éprouvait pas le besoin de donner, elle aussi, dans le galimatias :

Mais cette passion est d'autant plus puissante
Que ce qui lui nuisait devient ce qui l'augmente,
Et que de ma fureur les transports surmontés
A mon amour encor sont des feux ajoutés.

Puis la reine nous apprend que la prétendue lettre de grâce est une condamnation à mort. Le

médecin Zénocrate l'a imprégnée d'un poison si
subtil que Théodat en l'ouvrant expirera sur le
champ. En effet le seigneur Theudion entre pour
nous apprendre que le coupable est mort presque
entre ses bras. Le désespoir d'Amalasonte éclate,
car,

> amour fait pousser en de tels déplaisirs
> Des soupirs plus cruels que les derniers sou-
> [pirs.
> Toi dont la juste mort fait mon inquiétude
> Si tu meurs d'un poison j'en sens un bien plus
> [rude.
> J'aime, et le Ciel a mis beaucoup plus de rigueur
> Au poison que je sens qu'à celui dont tu meurs.

Mais ce poison du regret n'est rien : Amalfrede
revient pour en rendre les tourments dix fois plus
atroces : « J'aimais Théodat, crie-t-elle, et par
conséquent je te haïssais. J'ai voulu la mort de
celui que j'aimais pour qu'il ne pût pas être à toi.
Mais c'est sur toi que je venge la mort d'un innocent.
Car il était innocent et c'est moi qui ai tout
machiné pour qu'on le crût coupable. Toi, tu vis
pour traîner misérablement le remords d'avoir
fait périr injustement celui que tu aimes toujours.
Moi, je t'échappe. Je me suis empoisonnée, je
meurs ». Il ne me reste plus, gémit Amalasonte,
qu'à la suivre dans la tombe. Pour l'instant elle
se contente de s'évanouir, au moment où l'on voit
apparaître qui ? Théodat ! un Théodat qui sait
toujours cueillir les fleurs ou bien dire :

> Vous mourez, beau sujet des peines que j'en-
> [dure.
> Hélas ! j'avais promis de mourir sans murmure ;

> Mais la mort que me va causer votre trépas
> A trop de cruauté pour n'en murmurer pas.
> Ah ! beaux yeux, rallumez vos yeux avec ma
> [flamme.

Et les beaux yeux vont se rallumer. Le ténébreux Clodésile a voulu voir ce qu'il y avait dans cette lettre où il craignait de trouver la grâce d'un homme qu'il voulait perdre. Il l'a donc ouverte et c'est lui qui est mort. Les deux traîtres sont morts.

> N'ayons plus d'autre soin que d'aller en ce jour
> Prendre des mains d'hymen ce que nous doit
> [l'amour.

Une pareille tragédie est une pièce toute galante. A aucun moment il n'y est question de grands intérêts. Sans doute Clodésile poursuit un dessein de vengeance. Mais il n'est qu'un personnage secondaire qui n'arrive à rien sinon à mourir. Tous les autres ne sont occupés que d'amour. Et à aucun moment il n'est question d'une lutte entre l'amour et un devoir ou une ambition. Amalasonte, Théodat, Amalfrede vivent dans un univers qu'emplit le seul amour. Les batailles n'y ont lieu qu'entre les diverses formes de l'amour, l'amour content, l'amour inquiet, la haine d'amour. Il n'est même plus question de grands intérêts politiques, de guerre et de combats comme dans *Timocrate*. On est libre de croire que Théodat est admiré et aimé de la reine parce qu'il a donné de grands coups d'épée ; mais il n'en est jamais question. On nous

parle seulement, en termes vagues, de sa vertu. Il
suffit, pour fonder toute la pièce d'affirmations
passionnelles : « J'aime — Tu m'aimes — Tu ne
m'aimes pas ». Un pareil thème dramatique peut
être de tous les temps. Mais il correspond aussi
à l'idéal galant que nous avons défini plus haut et
qui est, pour une large part, celui de la génération
précieuse : le seul devoir est d'aimer ; la seule
morale est une morale amoureuse.

Cette morale a d'ailleurs, comme nous l'avons
dit, des raffinements qui viennent d'un lointain
moyen âge et qui se continuent à travers l'*Astrée*
et les romans précieux. Rappelons-nous que, dans
l'*Astrée*, Céladon a reçu d'Astrée, sur une accusation injuste, l'ordre de ne plus jamais reparaître
devant ses yeux. Il ne se croit même pas le droit
de présenter sa défense, de crier son innocence.
Il n'a plus qu'à disparaître et puisque la mort vaut
mieux que la perte d'Astrée, à se noyer. Notre
Théodat est tout semblable à Céladon. Contre les
trois accusations dont on veut l'accabler il lui
serait facile de se défendre. Mais c'est le bel objet
qu'il adore, « sa Princesse » qui les formule. Réfuter
ces accusations c'est lui montrer qu'elle est injuste.
C'est lui faire quelque peine. C'est mettre en doute
son absolue perfection. Mieux vaut se taire (ou,
comme Théodat, se perdre dans un amphigouris).
Mieux vaut même mourir ; et mourir content.
Car c'est un autre thème de l'amour galant que

l'amour, même s'il n'est pas réciproque, trouve sa
récompense en lui-même ; et que cette récompense
est si grande qu'elle rend la mort indifférente et
même joyeuse. Le véritable amant est l'esclave
de celle qu'il adore, même si elle est cruelle ; et
pour lui plaire ou ne pas lui déplaire il accepte
même la mort, une mort qui vaut mieux qu'une
vie où elle ne serait pas.

Ajoutons enfin qu'une pareille perfection d'amour
doit s'exprimer dans un style qui ne soit pas le
style de tout le monde. Répétons, comme nous
l'avons fait pour *Timocrate*, que ce goût pour les
raffinements d'expression n'est pas nouveau. Il
fleurit surtout, dans tous les genres, à la fin du
XVIe siècle et au commencement du XVIIe siècle.
C'est le temps de la préciosité vraiment ridicule
dont Molière pour une part ou Furetière dans le
Roman bourgeois nous ont donné la caricature.
La mode en est bien passée vers 1650. On lui a substitué celle d'un style discret dans son vocabulaire,
assez sobre dans ses images mais qui se doit de dire
des choses simples d'une façon subtile et contour-
née. J'ai multiplié les citations du rôle de Théodat
pour montrer que c'est chez lui un invincible besoin.

Bien qu'elle soit une tragédie galante *Amalasonte*
est pourtant une pièce fort différente de *Timocrate*.
Dans *Timocrate* pas de violences vraies. La haine
de la reine d'Argos et d'Eriphile s'adresse à un
Timocrate qu'elles n'ont jamais vu. Et comme

nous savons que Timocrate est ce Cléomène qu'elles adorent nous pensons bien que tout s'arrangera. Il en est tout autrement pour *Amalasonte*. C'est une pièce conduite d'un bout à l'autre par la haine et par la haine injuste. C'est une pièce de frénésie. Sur ce point Quinault n'innove rien. Depuis le XVIe siècle la tragédie est, avant tout, une pièce de terreur. Une sur deux de ces tragédies pour le moins est emplie de catastrophes et de volontés de catastrophes. Un sur deux des héros et des héroïnes est un frénétique. Il suffit de rappeler la *Médée* de Corneille, le jeune Horace qui tue sa sœur, Emilie qui ne vit que pour faire assassiner Auguste son bienfaiteur, Cléopâtre qui, dans *Rodogune*, fait tuer l'un de ses fils et voudrait bien empoisonner celui qui lui reste et sa belle-fille. Sur ce point, M. Lebègue a eu raison de parler de tragédie shakespearienne en France à la fin du XVIe siècle et dans le premier tiers du XVIIe. Mais la tradition de cette horreur « shakespea-rienne » se continue pendant longtemps et toute une série de pièces nous conduiraient jusqu'à la tragédie de terreur de Crébillon père. Et c'est là, la marque essentielle d'*Amalasonte*. Peut-on imaginer meneuse de jeu plus frénétique qu'Amal-frede ? Dans *Andromaque* Hermione fait assas-siner Pyrrhus parce que, du moins, Pyrrhus l'a trahie dans les conditions les plus cyniques, après l'avoir fait venir à sa cour pour l'épouser. Au

contraire Théodat n'a jamais fait la cour à Amalfrede. Jusqu'au jour fatal il ne soupçonne même pas
qu'il en soit aimé. Et pourtant elle machine contre
lui, à deux reprises successives, la plus odieuse des
vengeances, celle qui repose sur la calomnie, sur
une calomnie qui le met en péril de mort. Amalasonte n'est pas coupable envers elle ; elle ne lui a
rien fait que de la prendre pour amie et confidente.
Et pourtant, par un raffinement de haine, elle
invente une vengeance qui est bien pire qu'un
assassinat. Il faut, par ses machinations, que la
reine condamne à mort un amant qu'elle croit coupable, qu'elle apprenne après sa mort qu'il est innocent et qu'elle traîne le remords d'avoir fait périr
celui qu'elle aimait et qui l'aimait. Auprès de cette
furie Hermione n'est plus qu'une brebis bêlante.

On voit donc combien sont, disons aventureux,
tant de jugements traditionnels sur Racine. Nulle
part, dit Masson-Forestier, il n'existe de personnages « aussi frénétiques et aussi passionnés ; nulle
part de plus amoraux et de plus dissimulés ; il
n'en est point qui soient hantés, à un tel degré
du sentiment altier, violent, ombrageux de leur
dignité individuelle ». Passe pour Masson-Forestier
qui soutient la thèse, juste dans son principe, que
le vrai Racine n'a rien à voir avec le « doux et
tendre Racine ». Mais Victor Giraud, qui a si bien
dit tant d'excellentes choses sur la poésie de Racine,
est tombé dans la même erreur. C'est Racine qui,

selon lui, aurait peint le premier les fureurs des
passions. Passions d'amour ? Nous venons de
voir et nous verrons plus loin qu'il n'en est rien.
Passions politiques ? «Son Athalie, son Agrippine expriment avec cette sorte de grandeur
sinistre tous les ravages que la passion du pouvoir
peut exercer dans une âme de femme ». Sans doute
il y a Agrippine et Athalie ; mais avant elles et
même avant *Andromaque* (et nous nous en tien-
drons à cette date) il y a bien d'autres forcenés
et forcenées. La volonté de tuer, de tuer sans pitié
et sans compter est dans la *Rodogune*, l'*Othon*, le
Suréna de Corneille ; et si son Attila préfère la
diplomatie à l'assassinat c'est seulement parce
que, pour l'instant, le moyen est plus sûr. Plus
brutalement c'est l'assassinat que choisissent
pour conquérir ou garder le trône, ou un amant, ou
une maîtresse, non seulement notre Amalfrede,
mais encore le Commode, l'Electus et le Laetus
de *Commode* de Thomas Corneille, — son Stilicon
(*Stilicon*) qui pour mettre sur le trône son fils
Eucherius, veut faire périr son pupille qu'il sem-
blait aimer comme un fils, l'empereur Honorius.
— son Sinorix (*Camma*) qui, pour épouser Camma
a empoisonné son mari — son Persée (*Persée et
Démétrius*) qui veut détrôner et faire périr son
père — sa Laodice (*Laodice*) qui, pour régner,
a empoisonné cinq de ses six fils et s'affaire à
retrouver le sixième qui lui échappe, pour l'en-

voyer rejoindre les cinq autres. Quinault nous
offre, outre Amalfrede, son Elise *(Astrate)* qui a
usurpé le trône de Tyr en tuant le roi légitime et
deux de ses fils.

Même ces grands crimes ne sont pas seulement
exécutés ou projetés ; ils sont justifiés. Assurément
ni Corneille, ni Thomas Corneille, ni Quinault, ni
les autres n'ont pris à leur compte les plaidoyers
de leurs artistes en assassinats sentimentaux ou
politiques. Mais, constamment, ils en exposent
avec tant de complaisance les raisons et les nécessités qu'on serait tenté d'y voir un des moyens
inévitables et légitimes d'une politique intelli-
gente. Le meurtre est mis en maximes hautaines
comme le patriotisme ou le martyre. « Le trône »,
dit le Trasile de la *Dynamis* de du Ryer :

> Le trône est toujours beau quand même il est san-
> Si ce n'est pas assez de faire agir un crime,   [glant.
> Pour monter aisément à ce degré sublime
> Nous en commettrons mille...

C'est l'avis du Maximian de *Maximian* de Th.
Corneille :

> Hâtons-nous d'enseigner
> Qu'on doit nommer vertu tout ce qui fait régner ;

du Sinorix de sa *Camma* :

> Pour être absous de tout il suffit d'y monter
>   *(au trône)* ;

du Stilicon de son *Stilicon* :

> Peins-toi mon entreprise encor plus effroyable ;
> Une grande âme seule en peut être capable ;
> ....
> Et pour faire un grand crime il faut de la vertu ;

de l'Ochus de son *Darius :*

> Les timides vertus sont indignes des rois ;

et de quelques autres. Même le tendre Quinault est capable de peindre des fronts qui ne sachent plus rougir devant aucun crime. C'est le cas du Clodésile de notre *Amalasonte* justifiant devant sa sœur Amalfrede le projet d'assassiner Théodat :

> S'il peut me couronner il sera glorieux...

Et ni le Tirrhène de son *Agrippa*, ni l'Elise de son *Astrate*, ni quelques autres ne sont plus scrupuleux.

L'atmosphère de violences frénétiques, de passions déchaînées existe donc, largement avant Racine. En fait c'est une mode qui appartient à tout le monde et à personne et qu'il n'y a aucun mérite à suivre. Tout le monde peut entasser les fureurs et les crimes. La chose devient plus intéressante si l'on peut analyser et peindre la psychologie des furieux et des criminels. Ce serait, a-t-on dit plus souvent encore, cette psychologie, cette analyse des âmes et particulièrement des âmes violentes qui serait la grande découverte et l'originalité de Racine. Pyrrhus, par exemple, est un

amoureux sans scrupules toujours prêt à la violence. Dédaigné il obéira aux Grecs et leur livrera
le fils d'Andromaque. Mais toujours au moment
d'exécuter sa menace il hésite et se reprend.
Phœnix, son confident, s'inquiète peu du sort
d'Andromaque et de son enfant ; ces captifs
désarmés comptent peu au regard des intérêts
politiques. « Vous faites bien, insiste-t-il de les
abandonner à un sort qu'au surplus Andromaque
aura mérité ». Seulement l'amour de Pyrrhus,
un tenace espoir d'amour parle plus haut que la
sagesse du confident. C'est exactement l'état d'âme
d'Amalasonte toujours prête à pardonner à Théodat
malgré les preuves apparentes de ses crimes.

Surtout la pénétration, la vérité psychologique
de Racine éclaterait, dit-on, dans la scène fameuse.
Hermione, aveuglée par la fureur en apprenant
que Pyrrhus est à l'autel pour épouser Andromaque, donne à Oreste l'ordre de tuer Pyrrhus.
Oreste obéit. Il revient « tout sanglant du sang de
l'infidèle » :

> Pyrrhus rend à l'autel son infidèle vie...

Stupeur, on le sait, et fureur d'Hermione :

> Qu'a t-il fait ? A quel titre ?
> Qui te l'a dit ?

Et comme Oreste répond qu'il n'a fait qu'obéir
elle lui crie que son obéissance est un crime. Quelle

merveilleuse connaissance, répète-t-on du cœur des femmes, du cœur des femmes amoureuses ! Sans doute. Mais c'est une connaissance qu'il partage sans aucun doute avec Quinault. Nous avons vu que dans notre *Amalasonte* il y a non pas une mais deux femmes jalouses, partagées entre la colère d'être dédaignées et le pardon dans l'espoir d'être aimées ; deux femmes et non pas une, qui décident de faire périr celui qu'elles aiment parce qu'il est infidèle ou insensible et qui, lors-qu'elles le croient mort, se désespèrent et maudis-sent. Toute la psychologie d'Hermione peut se résumer par ce qu'elle dit d'elle-même :

Ah ! ne puis-je savoir si j'aime ou si je hais ?

Mais c'est aussi bien, comme notre analyse l'a montré, la psychologie d'Amalasonte et celle d'Amalfrede. Ajoutons cet autre caractère qui est d'ailleurs commun à tous les héros et à toutes les héroïnes de la littérature classique : Hermione ne peut savoir ce qui se passe en elle. Mais cela veut seulement dire qu'elle est incapable de choisir entre deux sentiments contradictoires ; et non pas qu'elle s'abandonne en aveugle au sentiment ou au tourbillon de sentiments du moment. Elle n'a rien d'une esclave passive de l'inconscient ou du subconscient. Sans cesse elle s'analyse ; elle s'efforce de se comprendre. Il en est de même pour Amalasonte et pour Amalfrede. Constamment

des monologues ou des dialogues-monologues avec
leurs confidentes nous les montrent avides de
mettre de l'ordre dans leur vie intérieure, d'y
apporter de la réflexion, de la logique. Nous en
avons cité des exemples. On en pourrait donner
d'autres ; ainsi le monologue d'Amalasonte à la
scène 5 de l'acte IV :

> Qui te (*mon cœur*) fait murmurer, quand ma raison
> [s'applique
> A t'affranchir d'un joug honteux et tyrannique ?
> Dois-tu pas t'irriter quand tu le vois trahir ?
> Et si tu peux aimer, ne peux-tu pas haïr ?
> Laisse donc succéder les fureurs aux tendresses ;
> Perds de ton lâche amour jusqu'aux moindres fai-
> [blesses,
> Ou s'il en reste, au moins déguise les si bien
> Que ma raison s'y trompe et n'en découvre rien.

Il y aurait d'autres ressemblances de détail
entre la psychologie d'*Andromaque* et celle d'*Amalasonte*. Nous avons rappelé la scène où Pyrrhus a
pris la décision de ne plus revoir Andromaque, où
Phœnix l'a félicité de cette sagesse et qui se termine, malgré les efforts du confident pour le
retenir dans cette sagesse, par le dessein de la
revoir « une dernière fois ». Même situation dans
la scène 9 de l'acte III d'*Amalasonte*. Oui, Théodat
est coupable de la plus noire infidélité. Amalfrede
a fait lire à la reine le billet amoureux qu'il lui
a adressé. Il est tout aussi bien coupable de l'assas-

sinat d'Arsamon dans l'obscur « petit degré ».
Il mérite deux fois la mort. Et c'est pourquoi il
a été emprisonné et sera condamné. Pourtant la
reine ne peut se résigner à faire périr celui qu'elle
a tant aimé. Elle le fera délivrer mais pour le
bannir à tout jamais loin de ses yeux :

> En le voyant d'abord tu lui feras savoir
> Que je suis résolue à ne le jamais voir,
> Et qu'il doit promptement, pour suivre mon envie
> Sortir des mes Etats sur peine de la vie.

« Ne le jamais voir ! ». C'est la raison qui l'ordonne.
Et Amalfrede y insiste :

> On n'aime point à voir ce que l'on veut haïr.

Mais la raison n'est pas ce qui règle l'amour, même
trahi et désespéré. Transigeons donc :

> Fais si bien toutefois qu'il puisse consentir
> A me voir malgré moi avant que de partir
> . . . .
> Fais ce que je t'ai dit. Je prendrai soin du reste.

Sans doute, pourrait-on dire : mais *Amalasonte*
doit être une pièce unique, un accident que vrai-
semblablement Racine n'a pas connu. Il n'en est
rien. De pareilles situations psychologiques, de
pareilles études des contradictions du cœur sont
des thèmes courants dans les tragédies représentées
pendant la dizaine d'années qui précèdent *Andromaque*. Tout d'abord le déchaînement des amours

furieuses, tout de suite portées jusqu'au crime, est
un thème profondément banal. Là encore, que de
commentaires qui ne résistent pas aux certitudes
de l'histoire littéraire ! Que Racine ait peint ces
passions avec cet incomparable génie, nul n'y con-
tredira. Et nous essaierons de le montrer en
parlant d'*Andromaque.* Mais pour que le dessein
de les peindre soit original il faudrait que ni
Thomas Corneille, ni Quinault, ni Boyer, ni de
Prades, ni d'autres n'aient existé. « On peut presque dire, écrit Jules Lemaître (qui déclare pourtant
connaître toutes les œuvres de Thomas Corneille
et de Quinault !), que pour la première fois l'amour
entre dans la tragédie... Et je dis simplement
« l'amour ». Non pas l'amour goût, non pas l'amour
galanterie, non pas l'amour romanesque, mais
l'amour sans plus, l'amour pour de bon ou, si vous
voulez, l'amour passion, l'amour maladie : cet
amour dans lequel il y a toujours un principe de
haine. » C'est aussi bien l'avis de Mauriac, dans
un livre puissant et suggestif, mais qui nous ren-
seigne mieux sur l'âme de Mauriac que sur celle
de Racine : « Racine rompt avec cette convention
d'un jeu d'amour tendre et charmant où il ne faut
jamais désespérer ». Ce n'est d'ailleurs que le
commentaire du vers de Boileau sur ces tragédies
de Quinault :

Où jusqu'à « je vous hais » tout se dit tendre-
[ment.

En réalité il n'y a pas de vers plus faux à moins qu'il y ait une façon tendre de dire « Je vous hais » en égorgeant les gens ou en essayant de les égorger. Dans l'*Othon* de Corneille (1664) dont nous reparlerons, Camille, dans sa jalousie furieuse veut, puisqu'Othon la dédaigne, que la maîtresse qu'il aime soit contrainte d'épouser son rival Martian. Il y a quelques exemples de ces véhémences chez Thomas Corneille. Dans *Persée et Démétrius*, Erixène croit Démétrius infidèle et jure qu'elle ne lui pardonnera jamais ; même lorsque Démétrius lui prouve que cette infidélité apparente n'était qu'une prudence politique momentanément nécessaire, elle s'entête dans sa colère :

> Ah ! qui sait bien aimer ne feint point de trahir.

Dans *Maximian*, Licine, pour épouser celle qu'il aime, est prêt à tous les complots et à tous les meurtres :

> Je ne me défends point de tous les mouvements
> Qu'une aveugle fureur met au cœur des amants.
> N'ayant qu'elle en mon mal à choisir pour remède
> Il n'est rien que je n'ose avant que je vous cède.

Dans *Camma*, pour épouser Camma, Sinorix a empoisonné son mari.

Mais il y a des exemples plus significatifs justement chez Quinault. L'amour déchaîné ne connaît plus ni devoir, ni pitié, ni prudence. Il veut conquérir ou châtier par tous les moyens. Et les amants ou maîtresses le déclarent avec la même tranquille inconscience ou la même conscience de leur inconscience. « Le respect, dit Astrate *(Astrate)*

> Le respect, la raison, le devoir, tout l'ordonne.
> Mais l'amour, et surtout l'amour au désespoir
> Connaît-il ni respect, ni raison, ni devoir ?

Et c'est l'avis d'Odatirse *(la Mort de Cyrus) :*

> L'amour sans notre choix dans notre âme pénètre.
> Il justifie un crime en le faisant commettre.

La Démarate de *Pausanias* est la digne sœur de notre Amalfrede d'*Amalasonte*. Dans une obscurité savamment choisie elle fait tuer sa rivale Cléonice par Pausanias qui l'aime. Sans doute *Pausanias* est de 1668 et *Andromaque* de 1667 ; mais même si la pièce n'était pas (comme il est probable) écrite avant la représentation d'*Andromaque*, Quinault n'avait pas besoin d'Hermione pour imaginer Démarate. Il ne faisait que répéter Amalfrede. C'est même, un peu plus tard, un opéra de Quinault qui donna lieu, dans les salons, à un grand débat sur ce thème des férocités de l'amour. Dans le *Persée*, Phinée déclare qu'il aimerait mieux voir sa maîtresse dévorée par un monstre qu'entre les bras d'un rival. Faut-il admirer Phinée ou le tenir lui-même pour un monstre ? Chacun donne sa réponse, en prose ou en vers. Mais les salons aiment tout de même mieux l'esprit que la passion toute pure, surtout carnassière. Et l'on y goûte cette solution :

> Ce n'est pas que cela se doive à cause d'elle ;
> Mais seulement pour faire enrager son rival.

Ajoutons que Quinault n'a pas le privilège des frénésies. Dans l'*Hypolite* de Gilbert, Achrise se venge non pas même d'être dédaignée par Hypolite qu'elle n'aime pas mais du dédain qu'il témoigne à l'égard de toutes les femmes :

> Esprit présomptueux, incivil et sauvage
> Qui méprise mon sexe et me fait un outrage,
> Crois que je vengerai l'affront que tu me fais.

Et c'est elle, non une nourrice éperdue, tremblant pour la vie de sa maîtresse qui accuse Hypolite d'avoir voulu faire violence à Phèdre. Dans la *Mort de Démétrius* de Boyer, Arsinoé, trahie par son mari, le fait assassiner par Milon. L'Araxie d'*Arsace roi des Parthes*, de de Prade, dédaignée par Arsace, commande à Pharasinane, frère du roi, de le tuer. Et il y aurait d'autres exemples.

Il reste cependant, dans *Andromaque*, une situation qui n'a pas sa correspondance exacte dans *Amalasonte*. Que Théodat aime Amalasonte, qu'il aime et soit aimé d'Amalfrede dont il ignore même l'amour, c'est une situation assez banale et que la vie réalise bien souvent. Dans la pièce de Racine la situation est beaucoup plus singulière ; et parmi tous les hasards de la vie il est bien rare qu'on puisse la rencontrer. Pyrrhus est aimé d'Hermione

qu'il n'aime pas parce qu'il aime Andromaque
qui ne l'aime pas. Et Oreste aime Hermione qui ne
l'aime pas. Complication qui trahit même une
sorte de goût pour la complication. En effet, dans
la tragédie d'Euripide, conforme à la légende
mythologique, Oreste, nous le verrons, est un
personnage nécessaire puisqu'il enlève Hermione
et que c'est seulement après l'enlèvement que les
deux amants vont tuer Pyrrhus dans le temple
de Delphes. Au contraire, dans le sujet transformé
par Racine, Oreste n'est nullement indispensable.
Hermione aurait très bien pu poignarder Pyrrhus
elle-même, quitte à se faire à elle-même la célèbre
invective : « Qu'a-t-il fait ? à quel titre ? Qui
t'a poussée ? ». Mais le rôle d'Oreste s'explique
parce que tous les contemporains de Racine ont
le goût de la même complication sentimentale
où les amours sans réciprocité s'entrelacent sans
se rejoindre. Ce goût n'est pas nouveau. Il vient
des romans pastoraux et des pastorales. C'est
ainsi que la *Diana* célèbre de Montemayor, dont
l'influence fut si grande au xvie siècle et dans la
première moitié du xviie, repose sur l'entrelac
suivant : Selvagie aime Alénao, qui ne l'aime pas
mais aime Montan, qui ne l'aime pas mais aime...
Selvagie. Ces jeux de sentiment sont même si
compliqués qu'il est beaucoup plus clair de les
représenter par des dessins où les flèches indiquent
le sens dans lequel vont les cœurs :

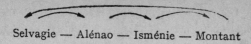

Selvagie — Alénao — Isménie — Montant

On rangerait parmi les complications simples
à trois personnages dont deux s'aiment et le troisième aime, naturellement, sans être aimé, la
Camma de Thomas Corneille, sa *Laodice*, son
Antiochus, son *Maximian* (avec deux couples
d'amants aimants et aimés) ; l'*Agrippa*, la *Stratonice* de Quinault. Mais le plus souvent il y a des
complications beaucoup plus astucieuses dont
voici, par quelques dessins, quelques exemples.
De Thomas Corneille, *Pyrrhus* :

Neoptolemus — Pyrrhus cru Hippias — Deidamie — Antigone ;
u surtout Quinault : *Bellérophon :*

Bellérophon — Prœtus — Sténobée — Philonoé ;
Amalasonte :

Amalasonte — Théodat — Clodésile — Amalfrede ;
Le feint Alcibiade :

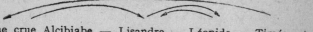

Léone crue Alcibiabe — Lisandre — Léonide — Timée, etc.

Reste enfin dans *Andromaque* une dernière situation qu'on ne retrouve pas non plus dans *Amalasonte*. C'est le dilemne. Entendons qu'un ou
plusieurs personnages se trouvent dans une situation telle que les deux résolutions contraires qu'ils
peuvent prendre pour la résoudre entraînent
chacune une catastrophe. Rien de pareil dans
Amalasonte, car Amalfrede peut se résigner à
n'être pas aimée. Tout le monde sera heureux ;
et elle-même vivra pour se consoler. Andromaque
au contraire peut sauver son fils ; mais elle devra
épouser un homme qui lui fait horreur. Elle peut
repousser Pyrrhus et rester fidèle au souvenir
d'Hector. Mais elle sacrifie un fils qu'elle adore.
Seulement si ce dilemne n'est pas dans *Amalasonte*,
il est un des procédés les plus chers aux dramaturges, dans ces dix années qui précèdent *Andromaque*, pour éveiller la terreur et la pitié. Leurs
dilemnes ne sont pas des dilemnes cornéliens où
il faut choisir entre son amour ou un intérêt vulgaire et son devoir ou son devoir d'ambition ;
dans ces sortes de dilemnes la volonté peut tran-
cher clairement, à la grande satisfaction de la
morale héroïque ou de la morale des ambitieux.
Au contraire, dans nos dilemnes le choix entraîne
fatalement, d'un côté ou de l'autre, des catastrophes aussi cruelles qu'injustes. On ne peut éviter
un abîme qu'en se précipitant soi-même ou en
précipitant un autre dans un autre abîme. Certes,

il existe encore des dilemnes-devoir-passion. Dans l'*Antiochus* de Thomas Corneille ou la *Stratonice* de Quinault, Antiochus doit taire et tait l'amour dont il meurt parce qu'il aime la fiancée de son père. Dans le *Pausanias* de Quinault, Pausanias doit choisir entre son amour et la fidélité à la Grèce, sa patrie ; et il choisit (signe des temps) contre sa patrie. Mais on veut des situations plus savantes où les raisons de choisir soient moins claires et où même il soit impossible de choisir. Ainsi chez Thomas Corneille. La reine d'Argos a juré *(Timocrate)*, par le plus redoutable des serments, de donner sa fille à celui qui lui livrera Timocrate et de tuer Timocrate (ce Timocrate, il est prudent de le répéter, s'est fait aimer de cette fille, à la cour d'Argos, sous le nom de Cléomène, et il l'adore). Il se livre lui-même ; il doit donc épouser ; et il doit mourir sur l'ordre de la mère de celle qui l'aime. Que faire ? La situation, s'arrange avons-nous dit, par une subtile casuistique. La reine a dit dans son serment : « Tant que je serai reine... » Elle abdique. Fauste *(Maximian)* est la femme de l'empereur. Elle apprend que son père est sur le point de mener à bien un complot pour exterminer son mari. Il faut livrer son père à l'empereur et au bourreau ou laisser périr son mari. Dans *La mort de l'empereur Commode*, Helvie doit épouser le tyran qu'elle hait, ou laisser exé-cuter son père. Electus doit tuer Commode pour

6

donner à Marcia qu'il aime la plus légitime des
vengeances ; mais Commode l'a comblé de bienfaits et le traite comme un fils ; Marcia essaie
de le tirer d'embarras par un moyen efficace :
« Tue-le ; puis tue-moi. » Dans *Camma*, Sostrate
doit épouser Camma pour qu'elle n'épouse pas
l'usurpateur Sinorix qu'elle déteste parce qu'il
a empoisonné son mari : « Je consens à l'épouser,
dit Camma à Sostrate, mais à condition qu'ensuite
vous fassiez périr Sinotrix. » « Que faire, dit Sinorix ? C'est un assassin mais c'est mon bienfaiteur ;
je lui dois tout ! » Et dans *Pyrrhus*, Déidamie doit
épouser Pyrrhus cru Hippias qu'elle méprise ou
laisser périr celui qu'elle croit son frère et qu'elle
adore, Hippias cru Pyrrhus, etc... Chez Quinault,
Astrate doit dénoncer le complot de celui qu'il croit
son père et le condamner à la mort ou le laisser mettre à mort la reine qu'il aime ; et qui d'ailleurs
mérite la mort puisqu'elle a conquis son trône par
d'horribles assassinats. Dans *Le feint Alcibiade*,
Cléone que l'on croit Alcibiade (et qui n'est que sa
sœur) est surpris par le roi Agis dans l'appartement
de sa femme : « A mort l'adultère ! »Mais Agis,
autrefois sauvé par Alcibiade, est bien embarrassé :

> Il faut donner la mort à qui je dois la vie.
> . . . .
> Il faut donner la vie à qui m'ôte l'honneur.

Ainsi donc, si l'on s'en tient aux situations

générales d'*Andromaque* et même aux détails psychologiques, aux mouvements de passion prêtés aux personnages, il n'y a rien d'original dans la pièce de Racine, à part le personnage d'*Andromaque* partagée entre sa fidélité de veuve (il y a d'ailleurs avant elle d'autres veuves fidèles) et son amour de mère. La pièce est en partie conduite et dans tous les cas conclue par une frénétique d'amour : Hermione ; les frénétiques et les frénétiques d'amour abondent dans la tragédie avant 1667. Elle étudie des personnages, Pyrrhus et Hermione, sans cesse partagés entre un amour puissant et le dépit ou la rage de n'être pas aimés. Dans ce conflit ils sont capables de prendre des solutions extrêmes qui les désespèrent dès qu'ils les ont prises et, à plus forte raison quand elles sont exécutées. Ces déchirements d'âme et ces contradictions sont monnaie courante dans les œuvres de Quinault, Thomas Corneille et des autres. Dans *Andromaque* le drame se joue entre quatre personnages dont aucun n'est aimé de celui ou de celle qu'il aime ; ces entremêlements d'amours sans réciprocité sont aussi bien familiers à tous les prédécesseurs de Racine. Andromaque est placée devant un insoluble dilemne ; ceux qui se posent aux héros des mêmes prédécesseurs sont souvent tout aussi insolubles. Enfin si bouleversés que soient les personnages de Racine ils n'obéissent jamais, d'une façon continue, à des forces plus ou

moins inconscientes ; ils sont ou du moins s'efforcent d'être toujours lucides. Cette lucidité est un
caractère commun à tous les personnages de la
tragédie classique.

C'est donc ailleurs, nécessairement qu'il faut
chercher l'originalité, le génie d'*Andromaque* et
de Racine. Mais avant d'en venir là, il nous faut
étudier d'autres types de tragédies auxquels
Racine s'est rallié avant d'écrire *Andromaque*
et auxquels d'ailleurs il est plus ou moins revenu
après elle.

———

CHAPITRE III

Rappelons d'abord que cette tragédie, aujour-
d'hui illisible, fut accueillie avec faveur et que
Corneille la tenait en grande estime. « Si mes amis
ne me trompent, dit-il, dans sa Préface, cette
pièce égale ou passe la meilleure des miennes.
Quantités de suffrages illustres et solides se sont
déclarés pour elle, et si j'ose y mettre le mien, je
vous dirai que vous y trouverez quelque justesse
dans la conduite et un peu de bon sens dans le
raisonnement. » Tâchons de voir ce que Corneille
appelle la justesse et le bon sens.

ACTE PREMIER

Le vieux et sénile Galba est empereur de Rome.
Il a pour favoris tout puissants Vinius, consul,
Lacus préfet du prétoire, Martian, affranchi. Tous
les trois sont des gens sans scrupules mais qui
détiennent en fait le pouvoir. Or, Orthon grand
seigneur bien vu n'a pas d'autre raison de vivre
que le pouvoir :

Un homme tel que moi jamais ne s'en dé-
[tache (*de la cour*)
Il n'est point de retraite ou d'ombre qui le cache ;

> Et si du souverain la faveur n'est pour lui,
> Il faut ou qu'il périsse ou qu'il prenne un appui.

Or Vinius, Lacus et Martian ont fait assassiner
tous ceux qui les gênaient. Othon redoute le même
sort. Pour l'éviter il a fait la cour, par politique,
à Plautine, fille de Vinius. D'ailleurs il en est aimé
et lui-même en est venu à l'aimer, sincèrement et
profondément. Sans doute, réplique le confident
Albin, mais Galba a pour nièce Camille. S'en faire
aimer et l'épouser c'est s'assurer l'Empire. Peut-
être, répond Othon, mais ce profit est trop dangereux car il suscitera l'inimitié de Vinius, Lacus et
Martian. Mais Vinius survient : « Il faut, dit-il,
renoncer à ma fille. Il faut vous faire aimer de
Camille ; il faut l'épouser. C'est le seul moyen de
nous mettre à l'abri des intrigues de Lacus et de
Martian ». Othon répond d'abord en héros galant.
Jamais il ne sera infidèle à sa maîtresse :

> Que m'importe après tout, si tel est mon malheur.
> De mourir par son ordre (*de Lacus*) ou mourir
> [de douleur ?

Tout cela, réplique Vinius, ce sont des mots. Le
mariage avec Camille est une nécessité politique
absolue ; et d'ailleurs c'est vers vous, Othon, que
penche certainement le cœur de Camille : Othon
s'entête et continue à faire le parfait troubadour :

> Rien ne vous a servi Seigneur de me nommer ;
> Vous voulez que je règne et je ne sais qu'aimer.

Malheureusement pour l'amour, heureusement
pour la politique, Plautine elle-même survient :
« Il faut, dit-elle, avoir le courage de renoncer à

moi. Il y va de la vie de mon père, de la vôtre, et de
la mienne et de l'Empire. Ayons du courage ».

ACTE II

« Othon a-t-il parlé à Camille, demande Plautine
à sa confidente ? Qu'à dit Camille. Comme il est dur
de donner soi-même celui qu'on aime à une rivale ! »
Survient Martian « Si vous le voulez, déclare-t-il,
à Plautine, l'Empire est à nous. Je vous aime.
Épousez-moi et je suis certain que nous serons les
maîtres ». A quoi Plautine répond avec mépris qu'une
fille comme elle n'épouse pas un esclave comme lui.
La discussion est interrompue par Lacus qui vient
annoncer à Plautine que Galba consent à son mariage
avec Othon : « Cela ne fera pas plaisir à Monsieur
répond-elle, car il vient de me déclarer son amour
et de me demander ma main :

> Grands ministres d'Etat accordez-vous ensem-
> [ble... »

Ils commencent bien entendu par ne pas s'accorder. Mais ils savent qu'ils doivent s'entendre pour
se maintenir au pouvoir. Ils se mettent donc d'accord
pour s'opposer à Vinius et à Othon et porter au
pouvoir Pison en lui faisant épouser Camille. Ce
n'est pas l'avis de Camille. « Sans doute, leur dit-
elle, j'épouserai celui que Galba choisira pour moi.
Mais réfléchissez. Quel qu'il soit

> Il sera votre maître et je serai sa femme.
> Le temps me donnera sur lui quelque pouvoir,
> Et vous pourrez alors vous en apercevoir.
> Voilà les quatre mots que j'avais à vous dire.

ACTE III

« Que pense vraiment Othon, se demande Camille ?
Ne me laisserais-je pas abuser par l'amour que j'ai
pour lui. Est-ce moi qu'il aime, ou Plautine ? » Peu
importe, car Galba survient pour lui annoncer qu'il
va la marier avec Pison. « Pourquoi Pison ? Est-il
le seul Romain qui soit digne de moi et de l'Empire ?
Othon vaut mieux que lui. Mais de toutes façons
je vous obéirai ». Galba n'est pas un homme entêté :

> Ce n'est pas mon dessein de contraindre les
> [âmes.

Épousez celui que vous préférez ». Et comme
Othon survient : « Vous aimez Camille. Elle vous
aime. Je vais vous marier. Pison sera mon successeur.
Je le nomme César. D'ailleurs Camille ne perdra
pas tout :

> Je la fais dès ce jour mon unique héritière.

Othon est bien embarrassé. Il essaie de se tirer
d'affaire en démontrant que si Pison est César et
tout puissant, Camille regrettera quelque jour d'être
la femme de quelqu'un qui n'est pas le maître. Bien
entendu, Camille n'est pas dupe. Elle le renvoie
à Plautine dont elle « n'est point jalouse ». « Seigneur
en conclut le confident Albin,

> tout est perdu si vous voyez Plautine ».

ACTE IV

Othon voit cependant Plautine : « Comment nous
en sortir ? J'épouserai Martian, dit Plautine...
— Épouser un esclave ! ». Vinius interrompt le

débat : « Les prétoriens, annonce-t-il, ne veulent
pas de Pison. C'est vous qu'ils réclament. Allez-y
et l'Empire est à vous ». Othon se décide à partir.
« Bonne affaire, explique Vinius. Au fond je ne sais
pas trop qui l'emportera. Mais tu n'auras qu'à
épouser le vainqueur ». Plautine se révolte : « Petite
sotte rétorque son père :

> Que tu vois mal encor ce que c'est que l'Empire.
> Si deux jours seulement tu pouvais l'essayer,
> Tu ne croirais jamais le pouvoir trop payer ;
> Et tu verrais périr mille amants avec joie
> S'il fallait tout leur sang pour t'y faire une voie.
> Aime Othon, si tu peux t'en faire un sûr appui ;
> Mais, s'il en est besoin, aime-toi plus que lui...

Entrevue de Camille et de Plautine qui échangent
des insolences. Survient Martian. « Vous aimez
Plautine ? — Oui, Madame, malgré ses mépris — Eh
bien ! je puis vous la donner. Je dois épouser le
nouveau César, Pison. Je ne lui accorderai ma main
que si Plautine vous épouse ». Et tout soudain la
calme Camille devient aussi frénétique qu'Amalfrede... ou Hermione :

> Je veux qu'aux yeux d'Othon vos désirs soient
>   [contents ;
> Que lui-même il ait vu l'hymen de sa maîtresse
> Livrer entre vos bras l'objet de sa tendresse,
> Qu'il ait ce désespoir avant que de mourir ;
> Après à son trépas vous me verrez courir.

Mais cette frénésie n'est qu'une ruse. Il s'agissait
seulement d'entraver les desseins de Martian, de
l'empêcher de faire périr Othon. Ruse inutile.
Rutile vient annoncer que des mutins ont proclamé

Othon empereur. Mais s'il est empereur, il épousera Plautine. Et Camille qui était passée du courroux à l'amour déclare :

Qu'on repasse aisément de l'amour au courroux.

ACTE V

Galba est fort embarrassé : « Othon est contre moi Mais qui de Camille, de Vinius, de Plautine, de Lacus, de Martian est pour moi ou contre moi? Dissimulons ». Conseil entre Galba, Camille, Vinius, Lacus. Les avis sont fort différents et Galba est de plus en plus embarrassé. Heureusement on vient annoncer qu'Othon est mort. Plautine, qui vient d'entrer, est désespérée. Elle repousse avec mépris la déclaration de Martian. Sur ces entrefaites deux soldats entrent et annoncent qu'il y a une petite erreur. Ce n'est pas Othon qui est mort, mais Pison. On vient d'apporter à Othon la tête de Pison. Plautine serait toute à la joie si elle n'était pas troublée par un sombre pressentiment. Et ce pressentiment était juste, On annonce que dans sa fureur de vaincu, Lacus a tué Vinius et Galba avant de se tuer lui-même. Enfin Othon arrive en vainqueur pendant que Plautine se retire pour pleurer son père.

Une pareille tragédie retient quelque chose de la tragédie galante. L'amour et les rivalités d'amour y tiennent une large place. Othon adore Plautine qui l'adore. Camille adore Othon. Martian adore Plautine. On retrouve, avec moins de complexité le thème des amours sans réciprocité avec des conséquences de jalousies et de colères. Surtout

l'amour n'est pas délibérément sacrifié à un « grand
intérêt ». Othon ne dit jamais : « Mourons plutôt
que de renoncer à Plautine » ; mais il ne dit pas non
plus, comme Vinius : « Sacrifions l'amour pour
conquérir le pouvoir ». Pauline le dit, mais sans
grande conviction. Pour Othon, Plautine, Camille,
l'amour importe assurément plus que la gloire
et la puissance. Même il arrive à Othon d'emprun-
ter directement aux Précieuses l'un de leurs rêves
les plus chers. Presque toutes sont déjà en un sens
des féministes. Elles ne s'intéressent qu'à l'amour.
Elles discutent, d'ailleurs, plus que de toute autre
chose, de l'amour. Leurs romans sont, avant tout,
des romans d'amour. Or justement, comme nous
l'avons dit, les mœurs excluent l'amour de leur
vie, du moins si elles veulent rester honnêtes. Les
jeunes filles ne choisissent jamais leur mari. Ce
sont les parents qui les donnent à des époux que
très souvent elles n'ont jamais vu et qu'elles ne
peuvent pas aimer. L'Eulalie de *la Précieuse* de
l'abbé de Pure proteste avec une âpre violence
contre cet « esclavage ». Nulle des Précieuses n'ose
prêcher une révolte impossible. Un fond de cou-
vent bien austère aurait raison des révoltées. Mais
on invente un accommodement. En se mariant
on n'a promis, on n'a pu promettre que la fidélité
de son corps. Et la morale n'en demande pas
d'autre. On a le droit de donner son cœur et son
esprit à un amant assez noble pour ne solliciter

rien d'autre. C'est la consolation de la « belle amitié ». Et c'est celle que, dans son embarras, Plautine propose à Othon (sans se douter qu'elle parle comme l'Armande des *Femmes savantes*) :

> Il est un autre amour dont les vœux innocents
> S'élèvent au-dessus du commerce des sens.
> Plus la flamme en est pure et plus elle est durable ;
> Il rend de son objet le cœur inséparable.
> Il a de vrais plaisirs dont ce cœur est charmé
> Et n'aspire qu'au bien d'aimer et d'être aimé.

L'idéal galant a donc exercé son influence sur *Othon*. En 1664 on ne peut pas, même quand on est Corneille, ne pas lui faire sa place dans une tragédie. Et ce sera même la plus grande place dans *Agésilas*. Ce n'est pourtant pas une tragédie galante. Dans des pièces comme *Timocrate* ou *Amalasonte* ou bien d'autres les grands intérêts politiques ne jouent aucun rôle. La guerre dans *Timocrate* n'a pas d'autre raison d'être que de mettre Timocrate dans une situation sentimentale qui semble sans issue. Dans *Amalasonte* Clodésile poursuit bien si l'on veut un grand intérêt puisque la vengeance à laquelle il se voue semble au XVIIe siècle plus qu'un droit et est une sorte de devoir. Mais Clodésile ne sert à rien puisque sa tentative d'assassinat échoue piteusement. Tous les autres personnages, Amalasonte, Amalfrede, Théodat ne pensent qu'à l'amour, n'agissent que pour l'amour. Et l'histoire, avec quelques arran-

gements, pourrait aussi bien se dérouler hors
d'une cour. Il en est tout autrement dans *Othon*.
Tout est subordonné à la politique. C'est de la
politique que dépendent les mariages de Plautine,
de Camille, d'Othon, de Martian. C'est de la politique que relèvent non seulement leur puissance
mais encore leur vie. Qu'ils oublient un instant
la politique, qu'ils cherchent un moment de paix
et d'oubli et ils seront inévitablement vaincus et
exterminés.

Cette politique d'ailleurs est la plus vile et la
plus tortueuse. Ceux qui luttent sont des assassins ou des candidats à l'assassinat. Autour d'un
tyran sénile s'enchaînent les intrigues les plus
basses et les plus féroces. On pourrait même dire
les plus vaines. Car le dénouement qui met Othon
sur le trône, lui permet d'épouser Plautine et
entraîne la mort de Vinius, Lacus, Martian et
Galba n'est pas dû le moins du monde à l'habileté
politique plus grande d'Othon, de Plautine, de
son père Vinius. D'un bout à l'autre même de la
tragédie, Othon reste un personnage indécis et
politiquement maladroit qui ne sait qu'hésiter
entre son amour et sa sécurité. Si Othon triomphe
c'est parce que Pison, choisi comme César, ne
plaît pas aux prétoriens ; et nous ne savons pas
pourquoi ; et parce qu'Othon leur plaît et nous ne
savons pas davantage pourquoi. Tous les événements décisifs se passent dans la coulisse et n'ont

à aucun moment pour cause la volonté des conspirateurs. On se demande donc pour quelles raisons Corneille a pu être si fier de sa « justesse dans
la conduite» et d' «un peu de bon sens dans le
raisonnement ». Peut-être parce que dans la
construction de sa pièce, dans la conduite de
l'action, il croit s'être conformé à quelques unes
de ces règles qu'il a si subtilement et si confusé-
ment établies dans ses *Discours* en interprétant
Aristote à sa manière. Plus sûrement encore parce
que c'est pour lui une pièce de raisonnement
tout autant que de terreur et de pitié ; et de
raisonnement sur un sujet, dans des circonstances qui ne peuvent plus guère nous intéresser, mais qui le passionnaient, lui et ses
contemporains.

C'est le déroulement d'intrigues et complots
de cour. Dans cette cour, un monarque absolu qui
peut tout, jusqu'à ce qu'il soit mort — ou assassiné. Mais si l'on ne peut agir que par lui, on peut
du moins agir sur lui. Dès lors, être puissant c'est
être influent. Et la conquête effective du pouvoir
c'est l'influence sur ceux qui sont influents ou
leur ruine ou leur disparition s'ils ne sont pas
disposés à se laisser influencer. Assurément c'est
toujours un bon moyen de réussir que d'avoir de
l'influence ou des influences. Il est bon d'avoir des
relations. Mais dans un état démocratique le jeu
de ces influences est extrêmement dispersé. Il ne

peut jamais entraîner, en agissant sur un seul point,
des conséquences visibles et capitales. Il n'en était
évidemment pas de même dans la France monar-
chique du XVIIe siècle. Il faut toujours se rappeler
que le règne de Louis XIII et du jeune Louis XIV,
c'est-à-dire celui de Richelieu et de Mazarin, avait
été une succession d'intrigues et de complots dont
la Fronde n'est que l'épisode le plus marquant.
Quand l'historien veut entrer dans le détail, il
est tout de suite perdu dans un lacis quasi inex-
tricable où les conspirateurs et les intrigants
s'unissent, se désunissent, se congratulent ou se
maudissent. Il n'y a pour ainsi dire pas de grands
seigneur, ou de petit seigneur dans sa sphère, qui
ne médite sur les moyens d'avoir l'oreille de
Richelieu ou de Mazarin ou l'oreille de qui a son
oreille ou de prendre par ruse ou par meurtre la
place de qui détient le pouvoir. Autour d'un Richelieu ou d'un Mazarin qui ont la puissance d'un
Galba avec, en plus, de l'intelligence, il n'y a guère
que des Vinius, des Othons, des Lacus, des Mar-
tians affairés à s'unir ou à se supplanter, à fiancer
ou à défiancer leurs filles selon leurs intérêts du
moment. Sans doute en 1664 il n'y a plus de
Richelieu ou de Mazarin. C'est Louis XIV qui
gouverne. Il ne peut plus être question de complots
guerriers et d'assassinats. Mais il y a toujours des
complots acharnés d'influence. On oublie trop
que, même à cette époque d'équilibre et d'équité

apparente, rien ne s'obtient que par l'argent ou par la faveur. C'est l'argent qui procure les charges ou les commandements militaires. C'est la faveur ou l'influence qui procurent tout le reste. Aujourd'hui, dans la vie commune (et hors des grandes crises brutales) on a le droit de croire qu'on parvient, dans beaucoup de cas, par son mérite en passant par une série d'examens et concours assez bien organisés pour que, le plus souvent, la faveur n'intervienne pas. A l'époque d'*Othon* pas d'examens et concours (sauf dans les métiers où la plupart du temps, d'ailleurs, ce sont les fils ou parents des *maîtres* qui sont reçus *maîtres*). Les grades universitaires de droit ou de médecine s'achètent à peu près ouvertement. Et si les facultés de Paris se montrent un peu plus exigeantes, on va payer sa licence en droit ou son doctorat en médecine à Orléans, Reims ou Bourges. Même dans la vie littéraire tout n'est que cabales et conflits de cabales. C'est par les cabales qu'on obtient, puisqu'on ne peut pas vivre de sa plume, les pensions, les gratifications, les riches protecteurs dont on devient le secrétaire, le précepteur, le « domestique ». C'est par les cabales qu'on obtient ces abbayes ou ces canonicats que poursuivent ou qu'obtiennent Scarron, Furetière, Boileau, Racine, Maucroix et dix autres.

On comprend donc ce que veut dire Corneille et les raisons pour lesquelles les contemporains

ont pu s'intéresser à *Othon*. La pièce était pour
eux autre chose qu'une obscure histoire, lointaine,
de crabes dans un panier. Elle était plus ou moins
une histoire qui avait été la leur au temps de la
Fronde, qui était toujours la leur avec les assassinats en moins. C'est le « bon sens » et le « raisonnement » qui obligent à se rendre compte de ce
qu'est la vie de cour et même la vie en général, à
bien raisonner pour s'y conduire avec l'adresse
nécessaire.

Là comme ailleurs Corneille n'invente d'ailleurs
rien. Ce n'est pas lui qui inventa la tragédie des
grands intérêts politiques. Elle existe avant lui,
autour de lui et après lui sans qu'on puisse dire
que c'est lui qu'on imite. Ce sont simplement des
sujets à la mode parce que ce sont des sujets d'ac-
tualité. On retrouverait les mêmes têtes politiques
dans beaucoup de pièces de Thomas Corneille
(de 1656 à 1667), dans la *Mort d'Annibal*, dans son
Pyrrhus, son *Persée et Démétrius*. Même, quand on
veut plaire surtout aux doucereux et aux enjoués
en même temps qu'aux amateurs des grands intérêts et des grands desseins on ne renonce pas aux
complots savoureux ourdis par des gens qui con-
naissent la puissance d'une intrigue bien calculée.
Un ou deux, ou quelquefois quatre ou cinq complots subtilement tramés seront mis au service
à la fois d'une passion d'amour et d'une ambition
farouche. Ainsi dans le *Persée et Démétrius*, le

Stilicon, le *Darius* de Thomas Corneille, l'*Agrippa*,
l'*Amalasonte* de Quinault. Même, lorsque l'intrigue
ne sera conduite que par les passions du cœur,
on demandera du moins à la politique pure quelques ornements, quelques méditations sur la façon
de régner, quelque grande délibération sur les buts
et les moyens du pouvoir ou de la conquête. Ainsi
le *Commode* de Thomas Corneille nous prodigue
les lumières sur le pouvoir absolu et la tyrannie ;
son *Timocrate*, qui est pourtant, nous l'avons vu,
une pièce toute galante, nous ouvre un conseil
d'état où la reine et ses quatre conseils délibèrent
sur les conditions de paix proposées par le roi de
Crète. Même chez le tendre Quinault, Agis, Lisandre
et Timée *(le Feint Alcibiade)* assemblent leurs
sagesses et leurs finesses pour savoir s'il faut garder
à la cour un Alcibiade qu'Athènes a proscrit.
Dans *les Coups de l'amour et de la fortune*, Aurore,
qui est l'aînée mais qui n'est qu'une fille légi-
timée et Stelle, cadette mais légitime, batail-
lent interminablement, à coups d'arguments,
pour savoir quelle est celle qui doit légitimement
régner.

Rien de tout cela n'apparaît évidemment dans
Andromaque. Il aurait été pourtant facile à Racine,
pour plaire aux héroïques, d'introduire dans sa
pièce une importante délibération d'état. Il suffisait
que Pyrrhus assemblât son conseil pour savoir s'il
devait livrer à l'ambassadeur des Grecs le fils

d'Hector et d'Andromaque. Mais cela ne veut pas
dire qu'il a méprisé et combattu la tragédie des
grands intérêts. *Othon* est une intrigue de cour, de
la cour du successeur de Néron. *Britannicus* sera
aussi bien une intrigue de cour, de la cour de Néron
lui-même.

———

CHAPITRE IV

Il y a, nous l'avons dit, bien de la galanterie dans *Othon*. Mais elle y est tout de même au second plan. Au contraire galanterie et grands intérêts s'équilibrent dans l'*Attila* pour que les galants et les héroïques y trouvent chacun leur plaisir.

Rappelons d'abord que si *Attila* peut nous apparaître comme une pièce médiocre et par moments ridicule elle a eu un vif succès. Il est tout à fait probable que l'épigramme bien connue de Boileau :

> Après l'Agésilas
> Hélas !
> Mais après l'Attila
> Holà !

signifie : « Hélas, Agésilas était bien mauvais ; mais pour Attila, holà ! c'est tout autre chose ; la pièce est belle » (ce qui d'ailleurs explique bien mieux le *mais* et ce qui s'accorde avec l'admiration qu'exprime Boileau pour *Alexandre* dans sa satire du *Repas ridicule*).

Quoi qu'il en soit, voici la pièce :

ACTE PREMIER

Nous sommes au camp d'Attila « dans la Norique »
(c'est-à-dire du côté du Danube), Attila expose à
Octar « capitaine de ses gardes » que, sans doute, il
est le fléau de Dieu mais que

> la noble ardeur d'envahir tant d'états
> Doit combattre de tête encor plus que de bras ;

et que c'est pour l'avoir oublié qu'il a été vaincu aux
champs catalauniques. Mais il saura maintenant se
servir de sa tête. C'est pour cela qu'il a obtenu de
Valentinian, empereur de Rome, qu'il lui envoie
sa sœur Honorie pour l'épouser et de Mérovée
« roi de France » qu'il lui confie sa sœur Ildione,
également pour l'épouser. Mais laquelle choisir ?
Quel est le mariage qui lui assurera le plus d'avantages politiques ! Dans tous les cas le frère de celle
à qui il s'unira sera son allié ; et l'autre sœur sera
un otage contre la colère de l'autre frère. Arrivent
Ardaric, roi des Goths et Valamir, roi des Ostro-
goths, deux rois soumis, en réalité prisonniers.
Attila les a fait venir pour les consulter. Épousez
Ildione, dit Valamir. Épousez Honorie dit Ardaric.
Et tous les deux font une copieuse démonstration
des raisons politiques qui justifient leur choix ;
exposé où Corneille étale avec complaisance son
érudition historique et sa sagacité de diplomate.
Attila n'est pas content « Je vous ai fait venir pour
me décider (en réalité pour rejeter sur eux la respon-
sabilité de son choix) ; et vous me donnez des avis
contraires :

> Accordez-vous ensemble et ne contestez plus.

Dès qu'il est sorti Valamir et Ardaric sont obligés de reconnaître qu'il leur est impossible de s'accorder. Tout l'étalage de leur science politique est un masque : si Ardaric a conseillé d'épouser Honorie c'est parce qu'il aime Ildione ; si Valamir a défendu le mariage avec Ildione, c'est parce qu'il est épris d'Honorie. Aucun accommodement n'est possible.

Allons, et du succès laissons en faire au sort.

ACTE II

Honorie confie à sa confidente son cruel embarras. Elle est d'une part parfaitement cornélienne (c'est-à-dire, répétons-le, fidèle à un idéal qui est commun à Corneille et à ses contemporains). Elle est ambitieuse et son ambition ne sera satisfaite que si elle est la femme du plus puissant :

Je ne veux point de rois qu'on force d'obéir.

Mais le plus puissant c'est Attila qu'elle déteste et celui qu'elle aime c'est Valamir, un roi qui doit obéir. Excellent prétexte pour une pointe :

Mon âme des deux parts attend même supplice;
Ainsi que mon amour ma gloire à ses appas !
Je meurs s'il me choisit ou ne me choisit pas.

Quand Valamir vient lui déclarer sa flamme, c'est la gloire qui l'emporte : « Régnez comme Attila je vous préfère à lui ». Le pauvre Valamir en est tout déconfit. Et le pauvre Ardaric ne sortira pas plus content de son entretien avec Ildione. Ildione ne se soucie pas de gloire. Elle a même la pudeur effarouchée que Cathos et Madelon exigent des

belles, tout au moins quand on commence à leur
parler d'amour : « M'aimez-vous, demande Ardaric :

> pour le moins dites que vous m'aimez ! »

ILDIONE

> De quelque trait pour vous que mon cœur soit
> [frappé
> Ce grand mot jusqu'ici ne m'est point échappé

Par surcroît elle est fille d'obéissance. Elle sait
que son devoir est d'épouser celui que son père
juge bon de lui donner pour mari, même si elle le
déteste :

> Je recevrai sa main d'un œil aussi content
> Que si je me donnais ce que mon cœur prétend.

Enfin cette soumission peut la conduire à des
destins qui redeviennent cornéliens. Femme du
tyran elle aura la vie du tyran entre ses mains :

> Et de ce même coup qui brisera mes fers
> Il est beau que ma main venge tout l'univers.

ACTE III

Attila, après avoir consulté sa tête, a décidé
d'épouser Honorie. Mais, hélas ! c'est Ildione qu'il
aime et dès la décision prise, c'est son cœur qui se
révolte. Il n'est plus désormais qu'un Amadis, un
Daphnis, un Céladon :

> Ildione a pour moi tant d'attraits
> Que mon cœur étonné flotte plus que jamais.
> Je sens combattre encor dans ce cœur qui soupire
> Les droits de la beauté contre ceux de l'Empire.

L'effort de ma raison qui soutient mon orgueil
Ne peut non plus que lui soutenir un coup d'œil.
Et quand de tout moi-même il m'a rendu le
[maître
Pour me rendre à mes fers elle n'a qu'à paraître
O beauté qui te fais adorer en tous lieux
Cruel poison de l'âme et doux charme des yeux
Que devient, quand tu veux l'autorité suprême
Si tu prends malgré moi l'empire de moi-même,
Et si cette fierté qui fait partout la loi
Ne peut me garantir de la prendre de toi ?
Va la trouver pour moi cette beauté charmante
Du plus utile choix donne-lui l'épouvante.
Pour l'obliger à fuir, peins-lui bien tout l'affront
Que va mon hyménée imprimer sur son front...

« Non, ne lui conseille pas la fuite :

Ses yeux, mes souverains, à qui tout est permis
Me sauraient d'un coup d'œil faire trop d'enne-
[mis...

Conseille lui plutôt de me rendre mépris pour
mépris, d'en épouser un autre, Ardaric ou Valamir !...
Non, le conseil est affreux :

Voir en d'autres bras l'objet de tous mes vœux,
Vouloir qu'à mes yeux même un autre la pos-
[sède,
Ah! le mal est encor plus doux que le remède.

Ces pathétiques déchirements sont interrompus
par l'arrivée d'Ildione ; et dès qu'elle est là Attila
n'est plus qu'un Artamène ou un Alexandre racinien
qui n'ambitionne la victoire et la conquête que
pour en faire hommage à sa bien-aimée :

Je veux, je tâche en vain d'éviter par la fuite
Ce charme dominant qui marche à votre suite.
Les plus heureux succès ne font qu'enfoncer
[mieux
L'inévitable trait dont me percent vos yeux.
Un regard imprévu leur fait une victoire
Leur moindre souvenir l'emporte sur ma gloire,
Il s'empare et du cœur et des soins les plus doux
Et j'oublie Attila dès que je pense à vous.

Ildione est fort embarrassée. Elle ne peut pas
oublier, elle, qu'Attila est Attila. Mais elle nous a
déjà fait connaître les raisons pour lesquelles elle
ne peut pas dire non. Elle s'en tire (ou elle s'en
tirerait si Corneille y tombait à dessein) par du
galimatias. Ce galimatias, si cher, nous l'avons
montré, aux tragiques de ce milieu du siècle est
moins accusé et moins fréquent chez Corneille.
Mais il apparaît pourtant, de temps à autre :

L'aurait-on jamais cru qu'un Attila pût craindre
Qu'un si léger débat eût de quoi l'y contraindre.
Et que de ce grand nom qui remplit tout d'effroi
Il n'osât hasarder tout l'orgueil contre moi ?
Avant qu'il porte ailleurs ces timides hommages
Que jusqu'ici j'enlève avec tant d'avantages,
Apprenez-moi, seigneur, pour suivre vos des-
[seins
Comme il faut dédaigner le plus grand des
[humains.
Dites-moi quels mépris peuvent le satisfaire.
Ah ! si je lui déplais à force de lui plaire
Si de son trop d'amour sa haine est tout le
[fruit,
Alors qu'on la mérite où se voit-on réduit ?

Mais Attila s'obstine à jouer les Artamènes :

Quels climats voulez-vous sous votre obéis-
[sance.
Si la Gaule vous plaît vous la partagerez ;
J'en offre la conquête à vos yeux adorés.

Pour interrompre ces adorations Honorie survient
« Soyez contente, Madame, lui dit Ildione, c'est
vous qu'Attila choisit. Mais c'est par moi qu'il vous
choisit, parce que j'ai refusé de l'épouser ». Et elle
sort avec majesté. Fureur d'Honorie qui devient plus
cornélienne que jamais : « Moi, Honorie, accepter
le refus d'une autre. Vous ne me connaissez pas ! »
Dans sa rage, elle accable Attila d'insultes ; et les
insultes font à nouveau de Céladon et d'Artamène
le véritable Attila.

ACTE IV

Honorie conspire avec Octar, le capitaine des
gardes, qui aura pour récompense la main de Flavie,
sa confidente qu'il aime. Et puis elle dispose d'une
arme pour que le terrible Attila oublie ses insultes
et tourne sa colère contre d'autres. « Ignorez-vous,
lui dit-elle, qu'Ildione, votre bien-aimée, aime
Ardaric et en est aimée ? » Ardaric arrive justement.
« J'accepte, dit-il, d'épouser Ildione puisque vous le
voulez ; et je suis prêt à vous donner, pour vous
remercier, toutes les preuves de dévouement. —
Il ne m'en faut qu'une, réplique Attila. Valamir
a osé aimer celle que j'épouse, Honorie. Il me gêne
Tuez-le. C'est à cette condition seulement que vous
aurez Ildione ». Ardaric et Ildione sont fort embarrassés devant cette alternative « d'assassiner ou
d'être assassiné ». Leur seule ressource est d'espérer

les « heureux changements de la fortune ». A la
réflexion Ildione trouve d'ailleurs plus sage de
prier ses tristes yeux de faire trêve de larmes et
d'essayer à nouveau leur pouvoir sur Attila.

ACTE V

Attila est redevenu pleinement Attila, celui dont
le bras, dont Dieu « fait aujourd'hui son tonnerre »,

D'un déluge de sang couvre pour lui la terre

(évidemment ce barbare se soucie peu de la cohé-
rence des métaphores). Il explique crûment à
Ardaric et à Valamir qu'ils doivent s'entretuer
Celui qui survivra épousera l'objet de ses vœux.
Ardaric et Valamir et Honorie qui survient n'ont
d'autre ressource (on les a désarmés) que de l'accabler de malédictions qu'Attila reçoit avec un cynique mépris. Mais Ildione se présente « Je viens, dit-
elle, à Attila pour essayer de

Rendre à mes yeux sur vous leur souverain
[empire

— Mais je sais que vous en aimez un autre — C'est
une imposture — admettons-le et allons « au
Temple » nous marier. Quant à Honorie elle devra
épouser Valamir ». Il n'y aurait plus qu'à obéir si
Valamir n'apportait pas la nouvelle qui termine
en pastorale ce drame du fléau de Dieu. Depuis
longtemps Attila souffrait d'hémorragies violentes,
symbole et punition de ses crimes; une crise plus
violente vient de l'emporter. Ardaric épousera
Ildione et Honorie Valamir.

On voit de quoi est faite une pareille tragédie.

Elle ne ressemble guère au *Cid*, à *Horace*, à *Cinna*,
à *Polyeucte*, à *Rodogune*, à *Nicomède*. Dans le *Cid*,
dans *Horace*, dans *Polyeucte*, l'amour emplit
l'âme des personnages ou de certains d'entre eux ;
mais dès qu'il est en lutte avec un sentiment
« noble » et « généreux », il est (sauf par la Camille
d'*Horace)* considéré comme une faiblesse ; il est
tout de suite vaincu. Dans *Cinna* l'amour ne
compte pas pour Emilie ; il n'est guère pour elle
qu'un moyen ou une condescendance ; et c'est elle
qui conduit l'action jusqu'à la découverte du
complot. Dans *Rodogune* l'amour n'a pour ainsi
dire aucune importance dramatique. Tout dépend
de Cléopâtre et Cléopâtre n'a qu'une passion
forcenée, celle du pouvoir. Dans *la Mort de Pompée*,
dans *Nicomède*, l'amour ne joue aucun rôle. La
pièce serait à peu près la même si Nicomède et
Laodice ne s'aimaient pas ou n'éprouvaient l'un
pour l'autre qu'une sorte d'affection fraternelle.
Nous avons vu que dans *Othon* si l'amour tient
plus de place et cède moins aisément sa place
à la politique, c'est pourtant la politique qui domine
la pièce. Il en est tout autrement pour *Attila*.
Sans doute Attila reste, ou Corneille voudrait qu'il
restât, un chef, l'homme qui a dominé le monde et
qui peut rêver encore de le dominer. Corneille
veut aussi qu'il soit un chef intelligent, aussi
astucieux dans la diplomatie et dans la ruse politique que brave dans la bataille. Et la pièce est une

suite de délibérations et d'exposés qui doivent nous
faire admirer la sagacité du diplomate et les
artifices du manieur d'âmes.

D'autre part, c'est une pièce qui veut rester
impérieuse, comme il convient à ceux qui sont les
maîtres ou qui veulent l'être :

> Ils ne sont pas venus, nos deux rois ? Qu'on leur die
> Qu'ils se font trop attendre et qu'Attila s'ennuie.

Ce sont les paroles d'Attila qui ouvrent la pièce
et il se souvient constamment que c'est sur ce ton
que doit parler le tonnerre de Dieu (si j'ose dire)
qui fait ruisseler des flots de sang.

Mais le temps n'est plus où l'on pouvait emplir
toute une pièce ou la meilleure part d'une pièce
de pareils tonnerres. Le temps n'est plus, dans la
réalité, des complots et des volontés ambitieuses
qui croyaient pouvoir conquérir par la force et la
ruse. On en est réduit à des intrigues où l'on se
coule par artifice et par « l'art de plaire ». Et pour
occuper le temps qu'occupaient les délibérations
politiques et les combats, il reste seulement les
délibérations du cœur et les combats de l'amour.
C'est pourquoi Attila est tout autant Céladon que
fléau de Dieu ; c'est pourquoi son tonnerre devient
constamment chanson de rossignol et murmures de
brise langoureuse. C'est pourquoi ce n'est pas
la raison politique mais les faiblesses du cœur qui
triomphent. Tout bien pesé la raison politique dit :

« épouse Honorie » ; mais au dénouement c'est
Idiome qu'Attila épouserait si un providentiel coup
de sang ne venait pas en débarrasser les amants
et le monde. Non seulement, il se conduit en
amant plus qu'en chef mais encore, nous l'avons vu,
il a suivi les cours du parfait amant ; il a appris à
filer le doux, le tendre et le passionné ; il pourrait
rendre des points à La Calprenède ou à Mlle de
Scudéry et rivaliser avec Benserade ou l'abbé Cotin.
Il est à peine besoin de parler des autres personnages. Honorie fait sans doute sa petite orgueilleuse
et prétend faire passer sa gloire et sa grandeur
avant son cœur. Mais elle s'en tient à des paroles
et elle est bien contente d'épouser Valamir, même
s'il n'est pas le maître du monde. Idiome n'a
qu'un souci : échapper à Attila et devenir la femme
d'Ardaric. Quant à Valamir et à Ardaric ils ont
évidemment un souci dominant : celui de n'être
pas égorgés sur l'ordre d'Attila. Mais s'ils étaient
assurés de la vie et de la liberté et du consentement
de leurs belles on les sent tout disposés à devenir
des bergers d'Arcadie.

Ajoutons, comme nous l'avons fait pour nos
exemples précédents, que ce type de tragédie n'est
ni un hasard dans le théâtre de Corneille, ni son
invention ou son privilège. On le retrouve, plus
ou moins, dans *Sertorius*, dans *Sophonisbe*. Chez
Quinault c'est assurément le cœur qui domine. Il
y a pourtant de la dissertation politique, des

fiertés ambitieuses, des vues définitives sur de
subtils problèmes de la paix ou de la guerre, dans
son *Astrate*, sa *Mort de Cyrus*, notre *Amalasonte*,
etc. Mais c'est surtout Thomas Corneille qui s'est
efforcé de séduire à la fois les grandes âmes et les
âmes tendres. La moitié de ses tragédies mélange
les complots pour la conquête du pouvoir, la punition des usurpateurs criminels, la conquête de
l'amour, les heurts des ambitions politiques et des
menées secrètes de l'amour où c'est l'amour qui
triomphe. C'est ainsi que sont bâties les intrigues
de son *Persée et Démétrius*, de son *Stilicon*, de son
Darius, de sa *Bérénice*, de sa *Laodice*, de son
Commode, etc.

Un pareil compromis de tragédie grande et de
tragédie galante n'a exercé aucune influence sur
Andromaque. Le drame de la cour de Pyrrhus
pourrait se dérouler aussi bien dans la vie de petits
bourgeois ou de gens du peuple. Mais Racine en
acceptera volontiers le principe. Si *Andromaque*
Bérénice, *Phèdre*, sont avant tout des tragédies
d'amour, Acomat introduit la politique dans
Bajazet ; *Iphigénie* est une tragédie d'ambition
politique tout autant qu'une tragédie d'amour ;
Mithridate est une tragédie guerrière tout autant
qu'un drame sentimental.

CHAPITRE V

Caractères communs a tous ces types de tragédie.

On a l'habitude, quand on étudie le théâtre de Racine, d'opposer la facilité avec laquelle Racine suit les règles à la difficulté qu'éprouve Corneille à s'y conformer. Mais là encore cette comparaison simpliste ne met pas en lumière une originalité de Racine.

Insistons d'abord sur le fait que, dès 1655-1660, la doctrine classique de la tragédie, comme toute la doctrine classique, est pour tout l'essentiel, entièrement et fortement organisée. Je renvoie au livre essentiel de M. Bray *la Formation de la doctrine classique* (Paris, 1927) et à mon *Nicolas Boileau* (Paris, 1943). On discute seulement sur l'application des règles, sur le sens exact à donner à certaines d'entre elles ; ou bien l'on raffine pour ajouter aux règles générales des règles de détail plus subtiles. Tout le monde convient qu'une tragédie est un spectacle dramatique qui doit nous mettre en présence d'un problème capable d'exciter la terreur, la pitié et l'admiration — que ce problème doit être vraisemblable c'est-à-dire ne comporter ni miracles, ni prodiges, ni même de situa-

8

tions trop étranges et incroyables — qu'en passant
par une exposition, un nœud et un dénouement,
ce problème doit être unique et qu'il doit être résolu
en un même lieu et en vingt-quatre heures — que
le sujet doit être emprunté à l'histoire (la mythologie faisant partie de l'histoire) et non pas créé par
l'imagination de l'auteur — que le dénouement doit
être tragique (bien qu'il y fait pas mal de manquements à cette règle) — que la tragédie est un genre
tout à fait noble et qu'il faut ne rien y mêler, ni
dans les actions, ni dans le style, qui puisse diminuer cette impression de majestueuse grandeur —
qu'il faut émouvoir l'âme et non les sens en reje-
tant dans la coulisse tous les spectacles de violence
et de sang. Sur tout cela, des discussions de nuance,
pas de contestation véritable. Ajoutons ce dont
on ne parle pas, parce qu'on y obéit comme à
une force instinctive, mais qui est pourtant le
caractère essentiel et révélateur de cette tragédie
classique. Tout se déroule non seulement dans la
clarté d'une pleine conscience, mais dans la lumière
aigüe d'une pleine lucidité. Si bouleversés que
soient les personnages, si déchirés qu'ils se sentent
par des passions furieuses et contradictoires,
jamais ils ne sont roulés, à demi inconscients, par
le torrent qui les entraîne. Pas de profondeurs
ténébreuses, ni même de clair-obscur. Toujours ils
sont capables de prononcer des « discours » obéis-
sant aux règles de la plus scrupuleuse réthorique,

construits avec des idées-arguments ou des impres-
sions-arguments nettement déterminés et distin-
gués, soigneusement choisis et habilement ordonnés.
Dans la tragédie classique, et dans celle de Racine
comme dans les autres — nous y reviendrons —
tout ce qui est passion obscure et désordonnée
est transposé en méditations et discussions parfaitement intelligibles.

Enfin, un dernier caractère commun à toutes
nos tragédies c'est l'absence complète de sentiment
historique. Ce caractère là, nos classiques ne l'ont
pas voulu. Sans doute, ils ont un vague sentiment
que les hommes n'ont pas toujours ressemblé à
l'« honnête homme » de leurs salons et que la cour
des rois, il y a mille ou deux mille ans, ne ressem-
blait pas à celle de Louis XIV. Tout d'abord on
a l'intention de respecter les faits ou ce que l'on
croit les faits (car on tient la mythologie pour aussi
historique que l'histoire). Corneille, Racine ont
grand soin de distinguer entre ce qui est historique
et ce qu'ils inventent. Si Racine a l'air d'inventer
une Eriphile pour les besoins de son *Iphigénie*, il
démontre que ce n'est pas une invention et que
l'histoire mythologique fait mention d'un hymen
clandestin d'Hélène et de la naissance cachée d'une
fille qui sera son Eriphile. Même on a un vague
scrupule de la vraisemblance des mœurs. Mlle de
Scudéry sait et dit que les noms et les lieux de ses
romans, qu'ils soient persans ou romains, ne sont

que des conventions et qu'en réalité elle a voulu
peindre son temps et non la Perse ou Rome. Elle
sait que Clélie et Horatius Coclès chez Tite-Live
ne ressemblent pas à son Horatius et à sa Clélie.
Elle aurait plaidé coupable dans le procès que lui
fait le *Dialogue des héros de roman*. Quand on
reproche au Pyrrhus de son *Andromaque* de manquer de civilité à l'égard d'une Andromaque veuve
d'un roi, Racine répond qu'à l'époque de Pyrrhus
il n'existait pas encore de traités de civilité. Mais
ce sentiment de la différence des temps et des lieux
est, en fait, fort vague et tout se passe comme s'il
n'existait pas. Il n'existe pas du tout, nous le
verrons, dans *Andromaque*. L'excuse de Racine
(s'il a besoin d'excuse) est que ses prédécesseurs
immédiats et ses contemporains l'ont encore beaucoup moins.

Il suffit de se rappeler ce que nous avons dit de
nos tragédies-exemples. Passe encore pour *Othon*.
Corneille et ses contemporains sont familiers avec
Tacite ou Suétone. Et ces Romains d'une civilisation et d'une cour corrompues mais raffinées,
riches d'une littérature, d'un art, d'un luxe portés
à leur perfection pouvaient ressembler à des
Français de 1660, être étudiés et peints sans qu'on
se souciât des différences. Passe même pour *Timocrate*. C'est une tragé-comédie romanesque où
Argos et la Crète n'ont pas plus de prétention à
la vérité historique que la Perse d'*Artamène* ou la

Rome primitive de *Clélie*. Mais avec *Amalasonte*,
nous sommes dans la Rome conquise par les Barbares. Avec *Attila* nous sommes en « Norique » et
dans le camp du fléau de Dieu. Or, Amalasonte
et Théodat, Ildione, Ardaric et Valamir et plus,
que tous les autres, Attila lui-même parlent le
langage des pastorales et des romans pastoraux.
Du moins, dans un bon nombre de ces pastorales
et de ces romans pastoraux on est dans une Arcadie
imaginaire où peuvent s'épanouir les « fleurs du
bien dire » et où nous pouvons ne pas nous étonner
d'entendre les bergers et les bergères assembler les
bouquets du style galant. Il est évidemment plus
étrange de les voir présenter à la reine de quelque
peuple goth ou visigoth. Bien mieux, Goths ou
Visigoths sont sensibles au charme des « pointes ».
Mascarille ou Trissotin les aiguisent comme l'on
sait. Mais c'est leur métier et ils ont la tête libre
pour y travailler comme les travaillent l'abbé Cotin
ou le sieur le Pays. C'est au contraire dans les
moments les plus dramatiques et dans ceux où ils
sont le plus hors d'eux-mêmes que Théodat,
Amalasonte, Ildione ou Attila savent manier les
effets de style et trouver les « chutes » les plus
heureuses et les plus admirables.

Résumons-nous. De nos quatre sortes de tragédie Racine n'imitera jamais celle qui est romanesque et galante, qui d'ailleurs s'intitule généralement tragi-comédie et qui tend à se transformer

en pièces à machines ou en opéras. Il imitera, fâcheusement, la tragédie politique des grands intérêts dans la *Thébaïde*, la tragédie galante et politique, dans *Alexandre*, puis le mélange de politique et d'amour dans *Iphigénie* et dans *Mithridate*. Pour *Andromaque*, il prendra tout (sauf le génie) à la tragédie galante et frénétique : l'obsession de la passion amoureuse qui étouffe toutes les autres passions, la singularité d'une situation heurtant des êtres dont aucun n'a son âme sœur, la violence des sentiments qui pousse à la haine et au crime, la curiosité et même la pénétration psychologiques qui s'efforcent de peindre les tours, détours et retours des états d'âme exaspérés. C'est beaucoup de ressemblances. Et ce n'est rien puisque toutes nos pièces sont mauvaises et que celles de Racine ont une éternelle jeunesse. C'est le secret de cette jeunesse qu'il nous faut aller chercher, dans *Andromaque*, là où il est.

DEUXIÈME PARTIE

———

La véritable originalité d'*Andromaque*

CHAPITRE PREMIER

LES ÉGAREMENTS DU JEUNE RACINE.

Le génie qui paraît dans *Andromaque* a bien éclaté d'un seul coup, mais non pas du premier coup. Racine a d'abord fait représenter deux tragédies où il ne fait que suivre successivement deux des modes dramatiques que nous avons étudiées. La mode héroïque et frénétique d'abord dans la *Thébaïde*. La pièce fut jouée en 1664.

« J'étais fort jeune quand je la fis », écrit Racine. Peut-être est-elle achevée, dans tous les cas elle est conçue dès le séjour à Uzès. Sans doute parce qu'il était fort jeune, Racine a voulu prouver qu'il était capable de manier aussi bien que le vieux Corneille et les autres les fureurs ou les adresses des ambitions déchaînées ou sournoises. La tragédie est toute « héroïque », c'est-à-dire qu'on voit s'y déployer les « grands intérêts », en l'espèce la conquête d'un trône. Pour régner seul sur Thèbes, Etéocle veut exterminer son frère Polynice, tandis que Polynice se fait fort d'anéantir Etéocle ; cependant que le subtil Créon espère bien qu'il les verra se détruire mutuellement pour lui laisser la place libre. On ne revendique pas seulement ce trône l'épée à la main ; on raisonne sur ses droits ;

les scènes 3 et 5 de l'acte Ier sont de grandes discusions politiques entre Jocaste et Etéocle, Jocaste et Créon. D'ailleurs la raison et la discussion ne sont que d'agréables intermèdes. Ce qui compte, c'est la violence et la haine exaspérées. Le « grand crime » est l'idéal d'Etéocle, de Polynice et de Créon. Il leur faut se soûler de sang ou d'assassinats froidement médités. « Je ne veux point, dit Etéocle de Polynice,

> Je ne veux point, Créon, le haïr à moitié.

A quoi Polynice réplique :

> Et moi je ne veux plus, tant tu m'es odieux,
> Partager avec toi la lumière des cieux.

Quant à Créon, il a l'âme de tous les fauves que nous avons déjà rencontrés :

> Quand on est sur le trône on a bien d'autres soins
> Et les remords sont ceux qui nous pèsent le moins.
> ....
> Et je n'ai plus un cœur que le crime effarouche.

Ces grands crimes aboutissent, comme il est de règle, à de grandes tueries. Même, pour ses débuts, Racine a voulu se donner le mérite non pas peut-être de la plus grande tuerie tragique (seul M. Carrington Lancaster a lu toutes les tragédies du XVIIe siècle), mais de la plus grande qui ait été mise à la scène par les contemporains. Au dénouement Etéocle et Polynice se sont entre-tués. Hémon

a été tué en voulant les séparer. Jocaste s'est tuée
pour ne pas survivre au duel fraticide. Antigone
s'est tuée pour ne pas survivre à ses frères, à son
fiancé et à sa mère. Quant à Créon, il conclut avec
des clameurs et un sentiment judicieux de la situation qu'il n'a plus qu'à les imiter :

> La foudre va tomber, la terre est entr'ouverte,
> Je ressens à la fois mille tourments divers,
> Et je m'en vais chercher du repos aux Enfers.

A travers ces carnages, il est inévitable que
Racine fasse sienne la doctrine de Corneille et
tienne l'amour pour une passion trop chargée de
faiblesse pour être la dominante dans une pièce
héroïque : « L'amour, qui a d'ordinaire tant de
part dans les tragédies, n'en a presque point ici. Et
je doute que je lui en donnasse davantage si c'était
à recommencer ». « Si c'était à recommencer »
marque une inquiétude. Car on peut réussir avec
une tragédie héroïque. Mais Quinault réussit avec
des tragédies toutes pleines d'amour. Thomas
Corneille ou même Corneille, avec un *Timocrate* où
il n'y a que de l'amour, un *Dorius*, un *Stilicon*, un
Pyrrhus, etc., ou un *Sertorius*, une *Sophonisbe*, où
il y en a beaucoup plus que dans la *Thébaïde*,
emportent les suffrages aussi bien qu'en élevant ou
renversant les trônes. Il est donc sage de ne pas
trop dédaigner les doucereux et les enjoués et de
leur offrir quelques compensations. Il y aura donc

tout de même, dans *la Thébaïde*, un langoureux
et qui saura parler de sa flamme avec les agréments
sans quoi l'amour n'est plus l'amour, même dans
les lieux où l'on use du massacre comme d'un
expédient naturel et nécessaire. « Permettez, dit
Hémon à Antigone,

> Permettez que mon cœur, en voyant vos beaux yeux
> De l'état de son sort interroge ses dieux.
> Puis-je leur demander, sans être téméraire,
> S'ils ont toujours pour moi leur douceur ordinaire ?
> Souffrent-ils sans courroux mon ardente amitié ?
> . . . .
> Songiez-vous que la mort menaçait loin de vous
> Un amant qui ne doit mourir qu'à vos genoux ?
> Ah ! d'un si bel objet quand une âme est blessée,
> Quand un cœur jusqu'à vous élève sa pensée,
> Qu'il est doux d'adorer tant de divins appâts !
> Mais aussi que l'on souffre en ne les voyant pas !

Ajoutons enfin à cet heureux contraste des
fureurs et des langueurs l'emploi des autres recettes
en usage chez les auteurs à la mode : les dilemmes
qui laissent les personnages et les spectateurs tout
pantois entre deux catastrophes également épou-
vantables ; Jocaste sait que si Polynice vit, Etéocle
mourra ; que si Etéocle triomphe, ce sera par la
mort de Polynice ; Antigone veut se tuer pour
suivre sa mère dans la mort ; mais elle veut vivre
pour ne pas désespérer son amant :

> Un amant me retient ; une mère m'appelle !

Créon a joué d'abord le triomphe d'Etéocle ;
mais un de ses fils combat avec Polynice et serait
entraîné dans sa ruine. Puis les stances où s'opposent les alternatives désespérées :

> Quelle est de mes malheurs l'extrémité mortelle ?
> Où ma douleur doit-elle recourir ?
> Dois-je vivre ? dois-je mourir ?

— les imprécations, telles que celles de Jocaste :

> Le moindre des tourments que mon cœur a soufferts
> Egale tous les maux que l'on souffre aux Enfers...

— les dialogues cornéliens, impérieux et stichomythiques.

JOCASTE

Mon fils, son règne plaît.

POLYNICE

Mais il m'est odieux !

JOCASTE

Il a pour lui le peuple.

POLYNICE

Et j'ai pour moi les dieux !

La *Thébaïde* eut un honnête succès. Le duc de
Saint-Aignan, le plus illustre des grands seigneurs
beaux esprits, l'Apollon des rébus, des impromptus
et des bouts-rimés, en accepta la dédicace. Mais,
tout de même, ce n'était pas encore la gloire d'un

Corneille. Peut-être était-il plus facile d'obtenir celle d'un Quinault. Racine écrivit donc une tragédie galante, une de celles où le héros se doit de sacrifier non l'amour aux grands intérêts, mais les grands intérêts à l'amour. Ce fut *Alexandre le Grand*, joué en 1665.

Alexandre ne va pas, comme le Cyrus de Quinault, jusqu'à sacrifier la victoire, son peuple et sa vie pour ne pas être séparé de celle dont il s'est épris en un instant. Mais du moins la victoire, la Grèce, et la vie ne l'intéressent plus que s'il peut conquérir l'amour de sa maîtresse :

> Mais hélas ! que vos yeux, ces aimables tyrans,
> Ont produit sur mon cœur des effets différents !
> Ce grand nom de vainqueur n'est plus ce qu'il sou-
> Il vient avec plaisir avouer sa défaite.   [haite ;
> Heureux, si votre cœur se laissant émouvoir,
> Vos beaux yeux à leur tour avouaient leur pouvoir !
> ....
> Maintenant que mon bras engagé sous vos lois
> Doit soutenir mon nom et le vôtre à la fois,
> J'irai rendre fameux par l'éclat de la guerre
> Des peuples inconnus au reste de la terre
> Et vous faire dresser des autels en des lieux
> Où leurs sauvages mains en refusent aux dieux.

La gloire n'est donc plus pour Alexandre qu'un moyen d'être aimé. C'est aussi le seul prix qu'elle a pour Taxile, « roi dans les Indes » qui hésite entre l'amitié et la soumission que lui offre Alexandre et la lutte héroïque qui l'associerait à Porus, autre

roi indien. Il aime Axiane, « reine d'une autre partie
des Indes », et Axiane veut la lutte et l'héroïsme.
Il sera donc un héros :

> Les beaux yeux d'Axiane, ennemis de la paix,
> Contre votre Alexandre arment tous leurs attraits.
> Reine de tous les cœurs, elle met tout en armes
> Pour cette liberté que détruisent ses charmes ;
> Elle rougit des fers qu'on apporte en ces lieux
> Et n'y saurait souffrir de tyrans que ses yeux.
> Il faut servir, ma sœur, son illustre colère...

Seulement Axiane dédaigne le trop hésitant Taxile ;
elle n'a d'yeux que pour l'inflexible Porus. Taxile
laissera donc Porus faire le héros tout seul. Il sera
l'ami d'Alexandre ; il sera méprisé d'Axiane, mais
il continuera tout de même à l'aimer :

> Je l'aime. Et quand les vœux que je pousse pour elle
> N'en obtiendront jamais qu'une haine immortelle,
> Malgré tous ces mépris, malgré tous vos discours,
> Malgré moi-même il faut que je l'aime toujours.

Et parce qu'il aime, il redeviendra héros ; il la
servira contre Alexandre ; il prendra la place de
Porus qui est mort, glorieusement. Mais il se trouve
que Porus n'est point mort et qu'il continue à se
battre. S'il vit, c'est la perte de Taxile puisque
c'est lui qu'Axiane aimera. Au lieu de lui venir en
aide, Taxile va donc tenter de le pourfendre :

> Porus, il faut périr ou me céder la reine.

C'est d'ailleurs Taxile qui périt sous les coups

d'un Porus que seuls peuvent vaincre Alexandre
le Grand — ou les beaux yeux d'Axiane. Car, entre
deux batailles, Porus lui-même sait soupirer dans
les règles :

> Qu'attendez-vous, madame ?
> Pourquoi dès ce moment ne puis-je pas savoir
> Si mes tristes soupirs ont pu vous émouvoir ?
> Voulez-vous (car le sort, adorable Axiane,
> A ne plus vous revoir peut-être me condamne),
> Voulez-vous qu'en mourant, un prince infortuné
> Ignore à quelle gloire il était destiné ?
> Parlez.

AXIANE

> Que vous-dirai-je ?

PORUS

> Ah ! divine princesse,
> Si vous sentiez pour moi quelque heureuse faiblesse,
> Ce cœur qui me promet tant d'estime en ce jour
> Me pourrait bien encor promettre un peu d'amour.
> Contre tant de soupirs peut-il bien se défendre ?
> Peut-il...

AXIANE

> Allez, Seigneur, marchez contre Alexandre.
> La victoire est à vous, si ce fameux vainqueur
> Ne se défend pas mieux contre vous que mon cœur.

Beaux yeux, adorables princesses, soupirs, heureuses faiblesses seront le régal de ceux qui
demandent à la tragédie moins la terreur que les
douceurs et la pitié de l'amour. Mais s'il fallait

compter, en écrivant *la Thébaïde*, avec ceux qui applaudissent le galant plus que l'héroïque, il faut aussi bien, en combinant *Alexandre*, désarmer ceux qui s'obstinent à n'admirer que les grands courages. Il y aura donc, dans la pièce, une place assez large faite aux âmes cornéliennes. Alexandre, tout en ne vivant plus que pour son indienne Cléofile, restera tout de même le lion superbe et généreux qui continue à triompher en courant. Et les cornéliens auront, pour se consoler de Taxile, le couple impavide Porus et Axiane. Evidemment il y aura toujours des mécontents. En voulant plaire à tout le monde on risque de mécontenter tout le monde. C'est ce qui est arrivé à Racine. « Les uns, avoue-t-il, soutiennent qu'Alexandre n'est pas assez amoureux ; les autres me reprochent qu'il ne vient sur le théâtre que pour parler d'amour ». Il a cependant essayé, de très bonne foi, de tenir le juste milieu entre les impérieux de Corneille et les langoureux de Quinault. Il est très convaincu que son Alexandre n'est pas un langoureux, qu'il n'est pas de ces héros qui n'osent « jamais faire un pas sans la permission de leur maîtresse ». Et, dans tous les cas, à côté d'Alexandre le Grand, il y a Porus le Grand qui, s'il ne restait au monde qu'un héros cornélien, serait celui-là. Il n'a peur de rien, pas même d'Alexandre :

> Oui, je consens qu'au ciel on élève Alexandre ;
> Mais si je puis, Seigneur, je l'en ferai descendre.

S'il se bat, et s'il est vaincu, il ne le sera qu'après
de prodigieux exploits ; derrière un grand tas de
morts sa valeur se soutiendra « encor contre toute
une armée » ; prisonnier d'Alexandre, il parlera
comme s'il était libre et tout puissant.

ALEXANDRE

Comment prétendez-vous que je vous traite ?

PORUS

En roi...

Il y a aussi bien Axiane aussi cornélienne et
aussi indomptable que Porus. Taxile, qui fut le
premier à l'aimer, sans doute ne lui déplaisait pas ;
mais elle a cessé de l'aimer et s'est éprise de Porus
à mesure qu'elle découvrait sa lâcheté et la grandeur
d'âme de Porus. Elle non plus n'a peur de rien.
Prisonnière d'Alexandre, à sa merci, elle se donne
encore le plaisir de lui dire ses vérités : « Vous
n'êtes qu'un tyran

Non, Seigneur, je vous hais d'autant plus qu'on vous
[aime,
D'autant plus qu'il me faut vous admirer moi-même,
Que l'univers entier m'en impose la loi
Et que personne enfin ne vous hait avec moi.

Peu importe d'ailleurs la saveur du mélange
d'héroïsme et d'amour, de Corneille et de Quinault.
Il est certain que *la Thébaïde* et *Alexandre* sont
des œuvres mieux conduites, mieux équilibrées,
moins chargées de complications qu'un bon nombre

de tragédies de Corneille, de Thomas Corneille ou de Quinault. Racine ne s'est jamais laissé tenter par le romanesque qui rend absurde ou qui gâte un *Timocrate* ou une *Mort de Cyrus*. Il est plus certain encore que Racine dans *la Thébaïde* et plus encore dans *Alexandre* écrit déjà beaucoup mieux que Corneille vieilli, que Thomas Corneille, Quinault et les autres et qu'il lui arrive même d'écrire dans la perfection.

Il suffit de comparer les vers d'Alexandre à Cléofile que nous avons cités :

> J'irai rendre fameux par l'éclat de la guerre
> Des peuples inconnus du reste de la terre
> Et vous faire dresser des autels en des lieux
> Où leurs sauvages mains en refusent aux dieux,

à ceux où Attila promet lui aussi à Ildione de lui conquérir le monde :

> Quels climats voulez-vous sous votre obéissance.
> Si la Gaule vous plaît vous la partagerez
> J'en offre la conquête à vos yeux adorés.

Mais cette perfection est encore vaine. Tout est ou presque tout est encore convention dans ces deux premières tragédies ; on est aussi loin de la vérité humaine que dans les *Astrate* et les *Stilicon* ; la psychologie y est même moins fouillée, plus rudimentaire. Racine fait encore partie du sot bétail des imitateurs. Et puis brusquement paraît *Andromaque*. Et, d'un seul coup, le génie s'épanouit.

CHAPITRE II

Nous essaierons d'analyser les caractères de ce génie, d'en donner le *comment*. Mais le *pourquoi* reste inexplicable ; les documents nécessaires nous manquent. Songeons en effet à ce qui est pour l'essentiel la véritable originalité d'*Andromaque*. Ce n'est pas le sujet, ces amours sans réciprocité qui entraînent le heurt des passions ; ce n'est pas la curiosité et la justesse de l'analyse psychologique qui saisit les contradictions des cœurs déchirés entre des sentiments opposés ; ce n'est pas la violence furieuse de ces cœurs qui se laissent entraîner jusqu'au crime. Tout cela, il faut bien le répéter, se rencontre constamment chez les prédécesseurs immédiats de Racine. Mais il manque à tout cela, chez tous ces prédécesseurs, une âme. Nous sommes devant un théâtre de marionnettes, devant des gens de métier dont les marionnettes imitent la vie, mais dont nous voyons les ficelles et l'inévitable raideur. Dans *Andromaque* au contraire, malgré les conventions du théâtre classique, nous ne sommes plus en présence d'un auteur, mais en présence d'une humanité à laquelle Racine communique la même vie que si nous étions mêlés à elle dans la vie. Le génie, dans *Andromaque*, ce n'est pas surtout la vérité, la vérité abstraite de l'observation. Il y en a en réalité pas mal chez Thomas Corneille ou Quinault. C'est la vérité vivante ; et pathétique parce qu'elle est vivante.

Et c'est cela qui est inexplicable. Car cette vie c'est, avant tout, celle de passions d'amour ardentes, poussées jusqu'à la frénésie et jusqu'au crime. Or il est généralement facile d'expliquer pourquoi les écrivains de génie ont pu faire vivre des histoires d'amour de ce genre. Avec les transpositions nécessaires, avec les soucis d'art qui choisissent et façonnent, ils se sont souvenus d'eux-mêmes. Sans doute Mme de La Fayette écrit un roman d'amour tourmenté, déchiré. Et il ne semble pas qu'elle ait jamais eu le cœur tourmenté et déchiré ; elle a toujours été conduite par la « divine raison ». Mais le génie de la *Princesse de Clèves* est dans la justesse et dans la subtile précision de l'étude psychologique plutôt que dans le mouvement et la contagion pathétique du récit. Mme de La Fayette malgré l'encombrement d'intrigues de cour où elle suit les modes du temps, a réussi à donner, par l'étude aiguë des entraînements du cœur, une certaine sorte de vie à ce qui n'est chez elle qu'une observation et une analyse. On comprend donc très bien que son chef-d'œuvre ait pu être écrit par une femme qui n'ait jamais vécu ce qu'elle raconte, qui a seulement observé et réfléchi. Mais ce cas est exceptionnel quand il s'agit des grandes œuvres qui peignent de grandes amours. On a pu montrer que dans *Manon Lescaut* il y a le souvenir d'aventures traversées par l'abbé Prévost et qui ont bien failli être plus tragiques que celles de des Grieux et de Manon. Si la *Nouvelle Héloïse* a ressuscité chez nous le roman pathétique d'amour, c'est, et Rousseau lui-même, nous l'explique, parce qu'il a vécu intensément, dans une sorte de rêve et d'hallucination, ce qu'il aurait voulu vivre dans la réalité ; c'est parce qu'il a aimé, passionné-ment, Mme d'Houdetot. Les *Méditations* de Lamar-tine sont nées, avant tout, de ses amours avec Mme Charles et de la mort de la bien-aimée. Musset n'aurait pas écrit *les Nuits*, ni *le Souvenir*, s'il n'avait pas rencontré George Sand, etc., etc.

Malheureusement aucune exqlication semblable ne peut être donnée pour Racine. Nous ignorons tout de l'histoire de son cœur pendant les deux années qui séparent *Alexandre* d'*Andromaque* et aussi bien pendant les années où il fait jouer *la Thébaïde* et *Alexandre*. Même la lecture de ses œuvres avant *Andromaque* et ce que nous savons de lui nous le montre bien plutôt comme un homme de lettres adroit, docile à tous les goûts et modes du temps, plutôt que comme un cœur passionné, une âme libérée, par l'intensité de sa vie intérieure, des conventions de ces modes.

Dès Port-Royal il comprend la poésie comme
Pellisson, Sarrazin ou le P. Lemoyne. Il écrit ses
Promenades de Port-Royal qui poseraient un bien
curieux problème si l'on ne songeait pas que pour
un précieux il s'agit d'être ingénieux et non pas
ému et sincère. Il y a, d'apparence, dans ces promenades un très vif sentiment de la nature ou du
moins de la campagne dans sa diversité paisible,
pittoresque et féconde. Et puis la nature sera, dans
tout le reste de l'œuvre de Racine, comme si elle
n'existait pas. Il est, avec Molière, à peu près le
seul poète du temps qui n'ait pas aimé sincèrement,
pour la chanter et pour y vivre, sinon la nature
romantique, du moins la nature campagnarde. Le
problème se résout lorsqu'on constate que ces
promenades sont beaucoup moins faites d'impres-
sions personnelles que d'exercices de style où il
s'agit de répéter plus ingénieusement ce qu'ont
déjà dit, après Virgile ou Horace, les Théophile,
les Maynard, les Racan, les P. de Bussières, les
P. Lemoyne et d'autres. *Promenade de l'Etang* :

> Là mille autres petits oiseaux
> Peignent encore dans les eaux
>   Leur éclatant plumage.
> L'œil ne peut juger au dehors
>   Qui vole ou bien qui nage
> De leurs ombres et de leurs corps...

C'est la célèbre *Métamorphose des yeux de Philis
en astres* d'Habert de Cerisy :

> Tu sais que, dans ce bois, un liquide cristal
> En tombant d'un rocher forme un large canal.
> . . . .
> C'est là que l'œil, souffrant de douces impostures,
> Confond tous les objets avecque leurs figures ;
> C'est là que sur un arbre il croit voir des poissons,
> Qu'il trouve des oiseaux auprès des hameçons
> Et que le sens, charmé d'une trompeuse idole,
> Doute si l'oiseau nage ou si le poisson vole.

Aussi bien, avant de faire soupirer et languir sur le théâtre ces précieux qui s'appellent Bajazet, Achille, Xipharès ou Hippolyte, il rime des *Stances à Parthénice*, où Parthénice, si elle a existé, avait à chercher non pas de l'amour, mais les façons galantes d'avoir l'air de mourir d'amour :

> Je respire bien moins en moi-même qu'en vous...

Il songe à une tragédie d'*Amasie* dont nous ne connaissons que le titre et qui pouvait être aussi bien une tragédie héroïque à la Corneille qu'une tragédie « doucereuse » à la Quinault ; et à une tragédie des *Amours d'Ovide* dont nous ne savons pas davantage mais qui, de toute évidence, devait être plus galante que « grande ». Il rime *les Bains de Vénus* où ne pouvait se mirer dans l'onde cristalline qu'une Vénus de ruelle et non celle qui, dans *Phèdre*, est tout entière à sa proie attachée. Il les appelle d'ailleurs lui-même une « galanterie ». Aussi bien il s'exerce aux genres que les ruelles cultivent avec délices. Non pas à tous, car il est incapable de donner à plein dans le goût précieux ; il ne semble pas qu'il se soit soucié d'énigmes, d'impromptus, de bouts-rimés, de madrigaux. Mais il veut écrire dans le style Voiture. On a beaucoup commenté ses lettres de jeunesse, faute de pouvoir appuyer les commentaires sur celles de sa maturité qui ont disparu. On a été justement frappé par leur sécheresse ironique, par leur désinvolture spirituelle, par tout ce qu'elles montrent d'intelligence et le peu qu'elles montrent de sensibilité. Je ne suis pas sûr qu'elles soient des témoignages véritables. N'oublions pas que, de l'aveu de tous, il y a, à cette date, deux sortes de lettres : les lettres personnelles et intimes ; et les lettres destinées à être montrées. Ces dernières sont à la fois un moyen d'information et un véritable genre littéraire, l'un de ceux qui vous donnent le plus sûrement une réputation de bel-esprit. Nous savons par Racine lui-même que les lettres de Le Vasseur à Racine sont de celles que l'on montre : « Elles se communiquent à tout le monde... Chacun les veut voir et on ne les lit pas tant pour apprendre des nouvelles que pour voir la façon dont vous les savez débiter. » Il n'y a pas de raison pour que Le Vasseur n'ait pas, lui aussi, communiqué les lettres de Racine. Racine, du moins, savait que son ami pouvait le faire et il n'est pas douteux qu'il a voulu montrer qu'il avait la bonne façon de débiter les nouvelles. Cette façon était alors

non le « style Balzac », passé de mode, mais le
« style Voiture » où l'on trouvait autant de ravis-
sement qu'aux beaux jours de *la Chambre bleue*.
Manifestement, et d'ailleurs avec goût, Racine
s'exerce au style Voiture, à celui qui ne prend des
choses que le divertissement. Le vrai Racine
s'attachait peut-être à elles plus qu'il ne convenait
au style à la mode. Un des perfectionnements
mondains et précieux du style Voiture est la lettre,
qui n'est ni tout entière en prose, ni tout entière
en vers, mais qui est mêlée de prose et de vers.
Le genre fait fureur depuis une dizaine d'années.
Il a donné naissance à de petits chefs-d'œuvre :
le voyage «tant vanté» de Chapelle et Bachaumont ;
les lettres de La Fontaine à sa femme sur son
voyage en Limousin. Racine s'efforcera donc à
mêler harmonieusement une prose délicate et des
vers agréables. Il écrit en prose et vers à La Fontaine, à Antoine Vitart, à Le Vasseur, à Mlle Vitart.

Mais la galanterie et l'esprit nourrissent mal
leur homme. Il compose, dès 1660, une *Nymphe
de la Seine*, qui est une ode allégorique sur la paix
des Pyrénées et sur les incomparables grandeurs
dont elle est le témoignage ; en 1663 une ode *sur
la Convalescence du roi*, c'est-à-dire sur l'extase
de l'univers en apprenant que le plus grand des
rois était guéri de la rougeole ; la même année
une *Renommée aux Muses* proclamant à la face
de l'univers que le plus grand des rois est en même

temps le plus généreux pour ceux qui cultivent
les Muses. Il ne suffit pas d'ailleurs de prodiguer
l'encens et les allégories pour sortir de l'obscurité
et garnir sa bourse. Il faut qu'on ait l'idée de
respirer l'encens et qu'on prenne connaissance
des allégories. Racine n'ignore pas ce qu'il faut
faire et il le fait. Nicolas Vitart avait accès auprès
de Chapelain qui dispensait alors, mieux que tout
autre, les réputations. L'ode de *la Nymphe de la
Seine* lui fut portée. Il la reçut avec « la plus grande
bonté ». Il fit, comme il se devait, des observations,
auxquelles Racine souscrivit avec modestie. Mais
il fut si content qu'il voulut faire lire le poème à
Perrault. Chapelain et Perrault c'était Colbert ;
et Colbert, c'était Louis XIV. Dès lors la gloire et
la fortune commencent à sourire au jeune poète.
Il est difficile de fixer avec une rigoureuse exactitude les « gratifications » ou « pensions ». Mais
s'il n'est pas prouvé que la *Nymphe de la Seine* ait
été payée cinq cents francs ou cent louis, le poète
reçut pour le moins, de 1663 à 1667, huit cents
livres, six cents livres, huit cents livres ; et six cents
livres sont tout de même une vingtaine de mille
francs de notre argent de 1939. Avec l'argent
venait la considération. Le comte de Saint-Aignan,
qui se piquait de bel-esprit et se flattait de n'avoir
pas de rival dans les impromptus et les bouts rimés,
trouva de son goût *la Renommée aux Muses*. Il
introduisit Racine à la cour. Le poète est, dès

novembre 1663, au lever du roi : « Vous voyez, écrit-il à Le Vasseur, que je suis à demi courtisan. Mais c'est un métier assez ennuyant ». Ne l'en croyons pas sur parole puisqu'il le pratiquera assidûment jusqu'à ses derniers jours.

A défaut de ces œuvres où, pas plus que dans la *Thébaïde* et *Alexandre*, rien n'annonce *Andromaque* sinon l'adresse et la sûreté du style, nous pourrions trouver un « vrai Racine » dans l'histoire de sa vie.

Depuis qu'il y a des historiens scrupuleux de son théâtre on est d'accord pour convenir qu'il est impossible de juger le poète d'après la vie que son pieux et chaste fils Louis Racine a écrite pour l'édification de la postérité. Rappelons seulement que pour cet honnête marguillier, dont la seule faiblesse fut de vouloir être poète théologien, les relations entre Racine et la Champmeslé se bornèrent à des leçons de déclamation qui firent d'elle une grande actrice. En dehors de cette biographie, nous avons pour juger Racine des lettres, des faits et des témoignages contemporains.

Malheureusement, les lettres dites de jeunesse s'arrêtent à 1665. Aucune lettre, entre 1665 et 1676. Quand la correspondance reprend vraiment, en 1681, Racine est retiré du théâtre, retourné à une scrupuleuse dévotion, marié, père de famille, homme de cour, résolu à ne rien dire et sans doute à ne rien penser qui ne soit grave et vertueux. Même

ces lettres de jeunesse ne sont pas, nous l'avons dit,
des témoignages spontanés de son caractère. Ce
sont, au moins pour une part, des exercices de
style, où Racine s'évertue, d'ailleurs avec bonheur,
à attraper le style à la mode, ce style Voiture qui
exige un badinage ironique, qui veut qu'on prenne
les choses avec une indulgence sceptique. Telles
quelles, elles ont, malgré tout, été écrites par un
jeune homme de vive intelligence, capable de
travailler et de s'instruire, pour le plaisir de l'être,
avec le plus grand zèle et la plus sage méthode.
Elles prouvent aussi bien qu'il n'est pas fait pour
vivre dans la seule cité des livres. Il se résigne à
Uzès, dans une petite ville où tout se sait et se
commente, à s'enfermer dans une sagesse austère,
in angello cum libello, pour se montrer digne du
canonicat qu'il ne réussit pas à obtenir. Mais tout
aussi bien, c'est la vie qui l'intéresse ; c'est pour
vivre, pour converser avec d'aimables dames,
pour fréquenter même des demoiselles à la tête
légère, pour cultiver des Muses qui vous font bien
voir dans les salons, qu'il échappe à Port-Royal
et prend pour amis des jeunes gens qui n'avaient
aucun goût pour la gravité, ni même pour la science
rébarbative. De toutes ses forces, malgré les con-
traintes d'une pauvreté qui l'oblige à vivre des
bienfaits des siens, malgré les prudences, les inquiétudes, les désespoirs de sa famille qui ne songe
qu'au salut de son âme, il aspire à toutes les vanités

du monde, à toutes les joies du siècle. Pour être
heureux, il lui faut être brillant, célèbre, aimé. A
Uzès même, il essaie avec une réelle bonne volonté
de se mettre en état de grâce, en état de vivre
une petite vie étroite, docte et pieuse avec un
canonicat de 500 livres (15 à 20.000 francs de 1939).
Mais assurément, le cœur n'y est pas. La bonne
volonté ne peut l'empêcher de rimer, d'écrire ou
tout au moins d'ébaucher une *Thébaïde* qui n'est pas
faite pour Uzès ni pour l'existence d'un abbé pauvre et content de son obscurité, mais pour le triomphe et la gloire à Paris, pour la société des beaux
esprits, pour les applaudissements des salons.

Les faits confirment ce besoin de vivre, cette
humeur ardente, impatiente, qui le rend incapable
d'accepter pleinement et sans retour le renoncement et la discipline. Ne disons pas qu'il est tout
de suite et d'instinct un révolté, ni même un rebelle.
Car enfin, à Port-Royal, les solitaires n'ont qu'à
se louer non seulement de son intelligence, mais
encore de sa sagesse. Et il est parti pour l'exil
d'Uzès ; et il semble bien qu'il y ait fait tout ce
qu'il fallait pour mériter son canonicat ; s'il ne
l'obtient pas, il est problable que c'est par la faute
des circonstances, non par la sienne. Mais les
circonstances ont dû lui enseigner qu'il était vain
d'être sage. Il a donc repris les chemins qui lui
plaisaient et il les a suivis avec impétuosité.
Quand Port-Royal se met en travers, il bouscule

Port-Royal. Quand il faut cabaler, il s'insinue dans les cabales. Lui, le poète de la grâce et de l'harmonie, il fait sa cour au plus pesant et au plus vaniteux des versificateurs, à Chapelain.

Mais tout cela ne nous mène pas très loin. Des milliers d'autres jeunes hommes pouvaient avoir le caractère que révèlent ces lettres et ces faits sans avoir rien du génie de Racine, ni même un talent qui lui ressemblât. La querelle avec Port-Royal, nous l'avons dit, ne nous semble pas révéler un fond de dureté et d'ingratitude, un besoin de tout ramener à soi qui soient hors de l'ordre commun. Les objurgations, les clameurs et les désespoirs étaient si démesurés que la démesure de Racine dans la réplique, si elle n'était ni chrétienne, ni généreuse, était du moins humaine. Il en est de même des polémiques que Racine poursuit avec ceux qui critiquent ses tragédies. Il n'est pas tendre pour le vieux Corneille dans la première préface de *Britannicus* et, par allusion, dans la préface de *Bérénice*. Il a répondu, avec une vivacité mordante, et d'ailleurs sans les nommer, à d'autres adversaires de moindre qualité. Il écrit contre l'*Iphigénie* de Le Clerc et Coras une épigramme féroce, d'autres aussi cinglantes contre la *Judith* de Boyer, le *Germanicus* de Pradon, le *Sesostris* de Longepierre. Mais il ne faut juger tout cela qu'en se souvenant des mœurs littéraires du temps. La virulence de ces polémiques n'est rien si on les compare à toutes celles qui étaient les façons normales de critiquer et de discuter entre 1650 et 1700. Ecoutons Chapelain, par exemple, donner son avis, sur Costar : « Jamais homme n'a vécu plus déshonoré ni n'est mort chargé de plus d'infamie » ; ou sur Boileau qui fait « ouverte profession de parasite, de farceur, d'impie, de blasphémateur dans les lieux où l'on s'enivre et dans les maisons de débauche ». Ecoutons les adversaires de Boileau-Despréaux l'appeler des Vipéraux, le traiter d'ivrogne, d'auteur lubrique et d'athée. Ecoutons Boileau lui-même faire du placide et sage Faret un pilier de cabaret, appeler son ancien ami Lignières « l'idiot de Senlis ». Il faudrait en écouter vingt autres et, à vrai dire, à peu près tous les beaux esprits, pour se rendre compte que l'humeur impatiente et sarcastique de Racine pouvait passer alors pour gentillesse et discrétion.

Mais il aurait pu mettre dans ses amours moins de gentillesse et de discrétion, y trahir l'âme violente et déchaînée qui est celle de tant de ses personnages. Malheureusement l'histoire de ces amours nous est à peu près inconnue. Nous avons des lettres de lui jusqu'en 1665. Il avait alors vingt-six ans. Il aurait pu déjà se précipiter ou du moins se laisser entraîner dans quelqu'une de ces aventures où l'amour prend plus ou moins l'un de ces visages âpres, tendus, frénétiques dont son

théâtre nous a laissé d'inoubliables images. Les
lettres ne trahissent jamais rien de semblable.
Assurément on y sent le goût et même, si l'on veut,
la préoccupation de la femme. Racine est sur ce
point très différent d'un Boileau ou d'un Chapelain.
Mais il y apparaît beaucoup plus semblable à un
La Fontaine qu'à un Oreste ou un Mithridate.
L'amour c'est un « bel objet », c'est le plaisir, c'est
l'aventure et non pas ce qui devient la raison de
vivre et, au besoin, celle de mourir ou de faire
mourir. Du moins nous ne devinerions rien de plus
si nous n'avions que ces lettres. Pour aller plus
loin il nous faut nous adresser à des témoignages
qui restent vagues et contradictoires. Il ne nous
font même connaître que deux de ses maîtresses
(il est vraisemblable qu'il ne s'en tint pas là). Il aima
une actrice de la troupe de Molière, Mlle du Parc,
qui, sans aucun doute, le lui rendit puisqu'elle
le suivit lorsqu'il enleva son *Alexandre* à Molière
pour le porter à la troupe rivale de l'Hôtel de
Bourgogne. « La du Parc », comme l'on disait
(sans nuance de mépris puisqu'on disait aussi bien
la Sévigné) mourut en couches (peut-être à la
suite d'un avortement.) Racine en fut douloureu-
sement touché, si l'on en croit le gazetier Robinet,
qui nous montre, suivant le cercueil, les poètes
de théâtre

> Dont l'un, le plus intéressé,
> Etait à demi trépassé.

Toutefois il est douteux que Robinet ait été spectateur de l'enterrement. Il n'est même pas certain qu'il répète des on dit. Robinet se soucie de divertir ses lecteurs bien plus que d'être véridique. Sa règle constante est de mettre au superlatif. Et pour pleurer la du Parc il n'était pas nécessaire d'en être éperdument amoureux. Il suffisait d'avoir un peu de cœur et de vivre dans un siècle où l'on exagérait la manifestation des émotions bien plus qu'on affectait de les maîtriser. (Rappelons-nous ce qu'Alceste blâme dans les témoignages de simple politesse : « De protestations, d'offres et de serments, Vous chargez la fureur de vos embrassements ».)

Les amours avec Mlle Champmeslé nous renseignent encore beaucoup plus mal. Cette demoiselle, mariée à l'acteur Champmeslé (ou Chamellay, ou Chameslé, ou Chammeslay, ou Chammelay — les gens du XVIIe siècle étaient aussi peu fixés sur l'orthographe des noms propres que sur celle des noms communs) n'était pas un sot au sens actuel du mot : M. F. Gohin a démontré qu'il avait écrit seul des comédies attribuées à La Fontaine. Mais il l'était au sens du XVIIe siècle, c'est-à-dire qu'il était un mari trompé. (« Epouser une sotte, dit Arnolphe, est pour n'être point sot ».) Sa femme, si l'on en croit Mme de Sévigné, était laide de près, « mais quand elle dit des vers elle est adorable ». Racine fut évidemment sensible à son charme et elle ne se montra pas cruelle. Mais elle ne le fut pas

davantage pour beaucoup d'autres : Charles de
Sévigné certainement, dont la liaison inquiète
fort sa mère ou plutôt dont elle ne sait si elle doit
sourire ou se lamenter ; elle appelle la dame « la
petite Chimène », « la petite merveille », « ma belle-
fille ». Un instant Charles se trouve même pris entre
l'actrice et Ninon de Lenclos qui lui demande, en
témoignage de sincérité, les lettres de la Champmeslé, et qui les obtient (!) Mais rassurons-nous.
Nous ne sommes pas au premier acte d'une tragédie de Racine. Ninon les rend et Mme de Sévigné
les brûle. La Fontaine peut-être eut des espérances :

> Est-il quelqu'un que votre voix n'enchante ?
> S'en trouve-t-il une autre aussi touchante ?
> Une autre enfin allant si droit au cœur ?

Il ne semble pas qu'il ait eu rien d'autre. Le
comte de Revel fut sans doute plus heureux, si
l'on en croit Boileau. « Vous étiez alors assez épris
d'elle ; je doute que vous en fussiez rigoureusement
traité ». M. de Tonnerre connut la même fortune
si l'on se fie à l'épigramme qui courait les salons :

> A la plus tendre amour elle fut destinée
> Qui prit longtemps Racine dans son cœur ;
>   Mais par un insigne malheur
> Le Tonnerre est venu qui l'a déracinée.

Seulement, ni ce tonnerre-là, ni les autres ne
firent de bruit ; ils n'accompagnèrent aucun orage.
Les amours de la Champmeslé, et rien ne semble

distinguer celles qui l'attachèrent à Racine, ressemblent plutôt à des « petits soupers du xviii[e]
siècle » qu'à des drames romantiques ou des tragédies raciniennes. Nous en avons le témoignage
fort explicite de Mme de Sévigné et de Boileau.
« Votre frère, écrit celle-là à sa fille, est à Saint-
Germain ; et il est entre Ninon et une comédienne ;
Despréaux sur le tout ; nous lui faisons une vie
enragée. Dieux ! quelle folie ! Dieux ! quelle folie!...
Il y a de plus une petite comédienne et les Despréaux et les Racine avec elle ; ce sont des soupers
délicieux, c'est-à-dire des diableries ». « Ce ne serait
pas, écrit Boileau à Racine, une mauvaise péni-
tence à proposer à M. de Champmeslé pour tant
de bouteilles de vin de Champagne qu'il a bues
chez lui, vous savez aux dépens de qui. »

Imaginons donc la diablerie : la Champmeslé
assise entre le mari et l'amant qui paye le champagne que boit le mari ; « le cynique Despréaux »
partageant non la femme, mais du moins le champagne. C'est la fameuse « douceur de vivre » des
petits-maîtres et des roués du xviiie siècle et non
point une scène toute frémissante d'ardeurs et de
révoltes. Racine pourrait tout aussi bien s'y
appeler Baron ou Regnard ou Chaulieu. Nulle
part l'histoire de ces amours ne nous permet de
dire : Racine a peint les passions qu'il a éprouvées.

Restent enfin un certain nombre de témoignages
généraux dont chacun, pris à part, est trop indi-

rect ou trop lointain pour avoir grand poids mais
dont la concordance à tout de même une signification : « Il aime Dieu, dit Mme de Sévigné,
comme il aimait ses maîtresses ». Quelles maîtresses ?
Charles de Sévigné et les autres ne semblent pas
s'inquiéter de savoir si Racine aimait la Champmeslé comme une déesse. « Il semble, dit Barbier
d'Aucour défendant les solitaires de Port-Royal
contre la première réponse de Racine à Nicole, qu'un
homme aussi tendre et aussi sensible que vous
l'êtes ne devrait songer qu'à vivre doucement et à
éviter les rencontres fâcheuses ». Qu'en sait Barbier
d'Aucour ? La phrase a peut-être, et même sans
doute, un sens ironique : « Un homme qui a l'épi-
derme si tendre et qui est aussi sensible à la critique ». Par contre, Valincour est un ami de
Racine et c'est lui qui écrit : « La trop grande place
donnée à l'amour dans ses tragédies vient de son
caractère qui était plein de passion ». Et deux textes
dont l'un n'a jamais été cité par les historiens de
Racine et dont l'autre n'a guère été allégué, semblent bien attester qu'une tradition vivace gardait
le souvenir d'un Racine violent et difficile à vivre :
« Il règne (dans ses lettres à son fils), écrit le pré-
sident de Brosses, tant de simplicité et de bonhom-
mie que j'ai peine à croire qu'il fût méchant,
comme il en avait la réputation ». « Lequel pré-
féreriez-vous, demande Diderot par la bouche du
Neveu de Rameau, qu'il eût été bon homme,

honnête commerçant, etc., ou qu'il eût été fourbe, traître, envieux, méchant, mais auteur d'*Andromaque*, de *Britannicus*, de *Phèdre*, d'*Athalie*, etc. ? »

Rien à tirer des portraits de Racine. La physiognomonie chercherait en vain à en dégager des traits de caractère évidents ou probables. Il existe bien un portrait au musée de Langres, qui est fameux et qui mériterait de l'être. Beaucoup l'ont commenté et moi-même comme les autres. Assurément cet homme-là évoque bien l'auteur d'*Andromaque*, de *Britannicus*, de *Phèdre*, d'*Athalie*. Cette physionomie à la fois fine et glacée, charmante et dédaigneuse, lumineuse d'intelligence et voilée d'amertume ironique suffirait presque à elle seule à justifier les portraits ou les remarques de Barbier d'Aucour, de Valincour, de de Brosses et de Diderot. Malheureusement, ce n'est pas Racine. M. Calot l'a très précisément démontré. La tradition qui fait de ce tableau le portrait de Racine est tout à fait vague et inconsistante. Peu de traits de ressemblance entre lui et les portraits authentiques. A Langres, Racine a les yeux nettement bleus et le portrait certain de Santerre a les yeux nettement marrons. M. Calot a pris soin de s'assurer auprès des spécialistes que jamais la couleur des yeux ne peut changer avec l'âge. Les portraits authentiques sont ceux d'un Racine homme de cour, embourgeoisé, figé dans une majesté inexpressive et lourde. Si l'on en ignorait le modèle, on y pourrait retrouver l'auteur d'un traité « De la civilité française » ou d'un « Philosophe moral », non le père d'Hermione et de Roxane ou même de Bajazet et de Xipharès.

Au total nous pouvons être assurés que Racine ne fut pas un des ces jeunes hommes sages, de ces esprits modérés, de ces tempéraments posés, qui font la tranquillité des familles et la quiétude des confesseurs. Nous ne sommes pas beaucoup plus avancés. Car on pourrait en dire autant de Théophile, de Saint-Amant, de Voiture, de Scarron, de Furetière, de Gilles Boileau, de Benserade, de La Fontaine et de cent autres. Et Racine seul a écrit d'immortelles tragédies. Le pourquoi exact de son génie nous échappe ; nous ne pouvons atteindre que le comment.

CHAPITRE III

Le sujet d'*Andromaque* ; les sources.
La conduite de l'action.

Il n'y a que deux sources d'*Andromaque* qui soient certaines et qui comptent ; ce sont celles que Racine lui-même nous indique : Euripide et l'*Énéide* de Virgile. Les autres sources (quelques souvenirs des *Troyennes*, de Sénèque le tragique, la folie d'Oreste empruntée à l'*Oreste* d'Euripide) n'intéressent que des détails ou ne sont que des hypothèses.

Le drame d'Euripide s'intitule comme la tragédie de Racine, *Andromaque*. Voici quelle est la suite des événements :

> Nous sommes à Phthie dans le royaume de Néoptolème, fils d'Achille. De Troie il a ramené comme captive Andromaque, veuve d'Hector, dont le fils Astyanax a été massacré après la prise de Troie. Néoptolème a contraint Andromaque à devenir sa concubine et elle a eu de lui un fils Molossus. Mais Néoptolème était déjà marié à la fille de Ménélas, Hermione. Celle-ci a conçu contre Andromaque une jalousie furieuse ; elle l'accuse de l'avoir par de « secrets maléfices » rendue stérile et odieuse à son époux. Elle veut pour se venger profiter de l'absence de cet époux qui est parti pour Delphes supplier Apollon de lui pardonner une

offense grave qu'il lui a faite involontairement.
Pour l'aider dans cette vengeance elle a fait appel
à son père Ménélas. Il s'agit de massacrer Andromaque et Molossus. Mais Andromaque, prévenue
à temps a caché son fils dans une « maison étrangère »
et s'est réfugiée dans le temple de Thétis, déesse
de la mer, particulièrement chère au peuple puisque
Pélée, père d'Achille (donc grand'père de Néoptolème) l'avait épousée et qu'Achille était né de ce
mariage. L'asile est inviolable ; il s'agit de contraindre Andromaque à en sortir.

Au début du drame Andromaque expose cette
situation. Elle devient subitement angoissante
lorsqu'une esclave, servante fidèle, vient lui
annoncer que Ménélas et Hermione ont découvert
la retraite de Molossus et se sont emparés de lui.
Elle se sent perdue. Déjà, à plusieurs reprises et
en vain elle a envoyé demander du secours à Pélée
qui règne encore sur la ville de Pharsale, toute
proche. Hermione paraît. Elle se répand en insultes
contre Andromaque et lui annonce qu'elle et son
fils vont mourir. Andromaque lui répond avec
hauteur en l'accusant de s'être elle-même aliénée
son mari par la violence de son caractère. A ce
moment Ménélas arrive portant le jeune Molossus
« Sortez de ce temple, déclare-t-il ; livrez-vous ;
sinon c'est Molossus qui périra. Lui ou vous ? »
Désespérée Andromaque sort du temple ; on l'enchaîne. Ménélas ajoute que c'est Hermione qui
décidera du sort de l'enfant ; autant dire qu'il
périra comme sa mère. « Descendez dans le séjour
des ombres, vous qui venez d'une ville ennemie.
Vous mourez tous deux par deux arrêts différents.
toi, c'est ma sentence qui te condamne ; et ton
fils, c'est ma fille Hermione ».

Heureusement le vieux Pélée, enfin prévenu, arrive. Discussion interminable entre lui et Ménélas sur le droit et les raisons de massacrer les deux victimes ou de les épargner. Mais Pélée, si vieux qu'il soit, est encore tout puissant. Non seulement Ménélas laisse délivrer Andromaque et son fils, mais il quitte le pays, abandonnant Hermione à son sort. Celle-ci passe brusquement de la cruauté arrogante au plus violent désespoir.. « Mon époux me tuera, il me tuera ; je n'habiterai plus sous ce toit conjugal. De quelle divinité irai-je en suppliante embrasser la statue? Tomberai-je en esclave aux pieds d'une esclave. » A ce moment survient Oreste. Il est en route pour aller consulter l'oracle de Jupiter à Dodone. Comme Phthie est sur sa route il est venu prendre des nouvelles de sa parente Hermione qui lui avait été autrefois promise comme femme et qui n'est devenue l'épouse de Néoptolème que par une trahison de Ménélas : « Pars avec moi, dit-il à Hermione ; allons à Delphes où nous trouverons ton époux ; je sais un moyen de le faire périr et de nous venger ».

Un messager arrive. La vengeance est accomplie. Oreste a réussi à soulever contre Néoptolème les habitants de Delphes en l'accusant d'être venu pour dérober les trésors d'Apollon. Il a été massacré. Pélée est désespéré. Il reste seul, accablé de vieillesse, après la mort de son fils et de son petit-fils. Mais Thétis apparaît. Elle annonce à

Pélée que son fils Achille n'est pas mort ; il habite « l'île aux rives blanchissantes, dans le détroit de l'Euxin ». Quant à lui, il deviendra à ses côtés, « un dieu immortel et incorruptible ».

On voit ce qu'est ce drame ; une pièce de « terreur et de pitié » où pèsent constamment sur les têtes des menaces de mort injuste et féroce ; où une mère après avoir sacrifié sa vie pour sauver son fils va le voir périr avec elle ; où une femme aidée par son amant massacre son mari. Ajoutons une pièce discoureuse où les adversaires s'affrontent dans d'interminables démonstrations oratoires. Ce ne sont pas, trop souvent, les passions qui mènent les langues, même dans les situations les plus tragiques, mais le souci d'avoir raison devant des auditeurs pesant la valeur des raisons. « Tu raisonnes bien ; oh ! très bien », dit Hermione à Andromaque. On pourrait en dire autant à tous les personnages. D'autant plus que, constamment, selon l'habitude d'Euripide ils entremêlent leurs démonstrations de considérations générales sur les femmes, sur le mariage, sur les moyens de retenir un époux, qui sont des moyens de vertu, de soins domestiques, de douceur complaisante. « Oh! cher Hector, dit Andromaque, si Vénus t'inspire quelque faiblesse, j'aimais à cause de toi, les femmes que tu aimais ; souvent même je présentai mon sein aux enfants qu'une autre mère t'avait donnés ». Ou bien Ménélas et Pélée échangent des arguments sur la pudeur des femmes, sur les droits et les moyens des maris et des femmes qui veulent se venger.

Dans tout cela la psychologie est sommaire et heurtée. Tour à tour Andromaque se répand en lamentations désolées sur son affreux destin et sur son impuissance et dit insolemment à Hermione ce qui ne peut que l'enfoncer sans retour dans sa fureur jalouse. Hermione qui est d'abord tout entière livrée, sans crainte et sans le moindre remords, à cette fureur, devient brusquement une femme abandonnée au remords et à la terreur de périr par la main de Néoptolème, (comme si la mort d'Andromaque et de Molossus l'exposait moins à sa colère que le projet de les mettre à mort). L'Andromaque de Racine est bien différente de celle d'Euripide. Il l'a conçue avant tout comme une épouse et une mère qui ne vit que pour se souvenir qu'elle a aimé Hector et qu'elle aime Astyanax, fils d'Hector plus que sa propre vie. C'est, comme il le dit, l'Andromaque de Virgile qui a suscité l'image de la sienne.

Au chant III de l'*Enéide*, Enée racontant le long voyage qui l'a conduit de Troie aux rivages de l'Epire évoque ainsi sa rencontre avec Andromaque :

« Nous côtoyons les bords de l'Epire, nous entrons dans le port de la Chaonie et nous gravissons les hauteurs de la ville de Buthrote... Ce jour-là, Andromaque offrait aux cendres d'Hector un sacrifice solennel et des présents funèbres. Elle

évoquait les mânes de son époux près du vain
cénotaphe qu'elle avait orné de verdure et pleurait
au pied des deux autels qu'elle lui avait consacrés...
Elle baissa les yeux et dit à voix basse : « Heureuse
par-dessus toutes la fille de Priam, condamnée à
périr sur une tombe ennemie au pied des hautes
murailles de Troie ; elle n'a point subi l'esclavage
et n'est pas entrée captive dans le lit d'un vainqueur
et d'un maître. Mais moi, loin de ma patrie en
cendres, traînée par des mers lointaines, j'ai subi
les dédains du fils d'Achille, j'ai dû me soumettre
en esclave à son orgueil ; bientôt il s'est épris
d'Hermione de Sparte et l'a épousée... Mais Oreste,
irrité que Pyrrhus ait enlevé la fiancée qu'il aimait
ardemment, poussé par les Furies attachées à ses
crimes, le surprend sans défense et l'égorge au pied
des autels. »

Il serait à peine nécessaire de mentionner le
Pertharite de Corneille comme source d'*Andromaque*
si le nom de Voltaire n'avait pas donné à cette
prétendue source une sorte d'autorité : « Le lecteur,
dit-il, dans son Commentaire sur la pièce, trouvera
dans *Pertharite* toute la disposition de la tragédie
d'*Andromaque* et même la plupart des sentiments
que Racine a mis en œuvre avec tant de supério-
rité ». Que trouvons-nous donc dans *Pertharite*?
Rodelinde est aimée par Grimoald. Elle le repousse
parce qu'elle reste fidèle à la mémoire de Pertharite
son mari. Edwige a été aimée par Grimoald. Elle
a perdu cet amour. Et elle voudrait le reconquérir
surtout par jalousie, pour l'enlever à Rodelinde.

Mais rien ne montre mieux combien sont hasardeuses tant de prétendues découvertes de sources. Parce que B ressemble plus ou moins à A, qui lui est antérieur, ou conclut que B imite A. Mais il faudrait en même temps prouver que B ne ressemble pas tout autant à C, à D, à E, à F, qui lui sont également antérieurs. Or, nous avons montré que les rivalités et jalousies amoureuses de femmes, outre qu'elles sont déjà dans Euripide, sont un thème banal dans tout le théâtre tragique (et tragicomique et pastoral) avant *Andromaque*. Il en serait de même si l'on entrait dans le détail des ressemblances. Par exemple Rodelinde pour détourner d'elle Grimoald s'adresse à sa dignité de héros :

> On publierait de toi que les yeux d'une femme
> Plus que ta propre gloire auraient toute ton âme

Racine se serait souvenu de ces vers lorsqu'Andromaque déclare à Pyrrhus qu'il serait bien plus digne de lui de défendre Astyanax non par amour pour elle mais pour la gloire de la défendre :

> Voulez-vous qu'un dessein si beau, si généreux
> Passe pour le transport d'un esprit amoureux?

Mais nous avons vu (p. 14) que dans *Timocrate* la reine d'Argos a promis la main de sa fille Eriphile à celui qui lui amènerait l'ennemi détesté, Timocrate, mort ou vif. Nicandre déclare qu'il vaincra Timocrate et épousera Eriphile qu'il aime. Mais Eriphile aime Cléomène (sans savoir qu'il est

Timocrate). Et elle essaie longuement, hélas! de démontrer à Nicandre qu'il est bien plus grand d'aller au combat par amour de la gloire que pour l'amour d'une femme. Pourquoi Racine ne se serait-il pas souvenu de *Timocrate* qui fut un triomphe plutôt que de *Pertharite* qui fut un échec retentissant.

Avec des souvenirs d'Euripide et de Virgile, voici comment Racine a conçu et conduit sa pièce :

ACTE PREMIER

Nous sommes à Buthrote, ville d'Epire, dans une salle du palais de Pyrrhus (qui est le Néoptolème d'Euripide), fils d'Achille et roi d'Epire. Oreste vient de retrouver à la cour de Pyrrhus, son fidèle ami Pylade, dont les hasards d'une tempête et les aventures qu'il a courues l'ont depuis longtemps séparé. Il lui confie qu'il arrive comme ambassadeur des Grecs. Andromaque est captive de Pyrrhus, avec son fils Astyanax qui n'a pas été massacré après la prise de Troie ; Andromaque lui avait substitué un autre enfant qui fut tué à sa place. Or la Grèce s'inquiète. La fille de Ménélas, Hermione est venue également à la cour de Pyrrhus, dont elle est vivement éprise, avec promesse d'être épousée. Or ce mariage est sans cesse différé. On sait que Pyrrhus, oubliant Hermione, est amoureux d'Andromaque et la presse de devenir sa femme. Si elle monte ainsi sur le trône, Astyanax devient un prince qui peut un jour relever Troie et menacer la Grèce. La Grèce exige donc qu'on lui livre cet Astyanax. Mais ce n'est pas par amour de la Grèce qu'Oreste a brigué l'honneur d'être ambassadeur. Il a aimé passionnément Hermione. Quand Ménélas l'a fiancée à Pyrrhus il a essayé d'oublier son amour. Il a couru les aventures « traînant de mers en mers sa chaîne et ses ennuis ». Il s'est cru guéri ; il a dit qu'il l'était. Et quand il a su que les Grecs exigeaient de Pyrrhus qu'on leur livrât Astyanax il s'est offert pour porter leur demande. Mais l'ambassade ne l'intéresse pas. Ce qu'il espère c'est conquérir le cœur d'Hermione et l'enlever puisqu'elle est dédaignée de Pyrrhus. Et ce qu'il fera sera d'irriter adroitement Pyrrhus contre la Grèce et contre Hermione et de l'attacher plus étroitement à Andromaque.

Pyrrhus arrive justement. « Seigneur, lui dit Oreste, c'est à bon droit que la Grèce réclame le fils d'Hector, son père a semé les deuils parmi trop de familles. Il a fait courir à notre pays trop de dangers. Son fils pourrait nous exposer et vous exposer vous-même un jour aux mêmes périls. » « Craintes vaines, répond Pyrrhus. Tout d'abord, c'est à moi et à moi seul de disposer du destin de cet enfant. Dans le partage, c'est à moi que le sort a donné Andromaque et son fils. Les autres ont fait ce qu'ils ont voulu de ce qu'ils ont obtenu. Je suis résolu à les imiter. D'ailleurs Troie est ruinée à tout jamais Les massacres que nous avons commis à Troie s'expliquaient par la frénésie du combat. Un an plus tard, je suis incapable de me faire le complice du meurtre d'un enfant. Je refuse. Et vous pouvez, si vous le désirez, aller voir votre parente Hermione » (Oreste et Hermione étaient cousins germains). Oreste se retire et Andromaque survient :

Me cherchiez-vous, Madame ?
Un espoir si charmant me serait-il permis ?

« Non. J'allais seulement voir mon fils — Savez-vous que les Grecs demandent qu'on le leur livre pour le faire périr. — Consentirez-vous à ce crime ? — Non, j'ai refusé. Mais j'espère que, pour ma récompense, vous consentirez à m'épouser. Je vais courir pour vous les plus graves périls — Mais oubliez-vous que vous êtes le fiancé d'Hermione ? — Ce n'est pas elle que j'aime, c'est vous — Oubliez-vous aussi que je suis la veuve d'Hector et que je ne puis pas épouser le fils de celui qui a tué mon mari ? — Soit, mais repoussé par vous j'obéis aux Grecs et leur livre Astyanax.

Allez, Madame, allez voir votre fils.

. . . .

Madame, en l'embrassant, songez à le sauver.

ACTE II

Hermione attend Oreste qu'elle a consenti à revoir. Elle avoue à sa confidente Cléone le trouble de son cœur. Oreste vient peut-être pour le plaisir de voir méprisée celle qui l'a lui-même méprisé. Cléone lui fait comprendre qu'Oreste l'adore toujours. Puisque c'est l'ordre de son père, qu'elle oublie Pyrrhus et retourne à Sparte avec Oreste. « Sans doute, réplique Hermione, je le devrais. Mais si Pyrrhus revenait à moi ; si je pouvais être vengée de cette misérable...

Qu'elle le perde, ou bien qu'il la fasse périr ;

ou bien puissé-je oublier Pyrrhus et m'attacher à Oreste. Qu'il vienne ! » « Madame, dit Oreste, mon destin est de vous aimer ; et si vous ne m'aimez pas, de mourir d'amour. Pyrrhus refuse de livrer le fils

d'Hector — Je voudrais vous aimer — Donc vous
ne m'aimez pas. Vous aimez toujours Pyrrhus qui
vous hait — Qui vous l'a dit, Seigneur, qu'il me
méprise? Et puis, peu importe; que la Grèce se venge
et me venge ! — Pour assurer votre vengeance,
partez avec moi — Allez d'abord chercher la réponse
de Pyrrhus. S'il refuse d'obéir aux Grecs, je suis
prête à vous suivre ». Justement Pyrrhus apporte
sa réponse. Il renonce à Andromaque et épouse
Hermione. Oreste sort désespéré. Et Pyrrhus fait
remarquer à son confident Phœnix sa victoire sur
lui-même, la victoire de sa raison sur un amour
insensé. Cependant tout en commentant cette
victoire il ne cesse de parler d'Andromaque, de
trahir l'obsession de l'amour auquel il se vante
d'avoir renoncé. Comme Phœnix lui fait comprendre
sa faiblesse il semble affermi dans sa résolution
d'épouser Hermione : « Faisons tout ce que j'ai
promis ».

ACTE III

Oreste déclare à Pylade que « son innocence enfin
commence à lui peser ». Quels que puissent être les
périls et les conséquences, il est résolu à enlever
Hermione. Justement Hermione paraît triomphante
avec une feinte modestie. Elle a vaincu. Pyrrhus
l'épouse. Oreste paraît se résigner. A peine est-il
parti que le triomphe éclate :

> Hé bien ! chère Cléone,
> Conçois-tu les transports de l'heureuse Her-
> [mione?

Et le triomphe devient féroce lorsqu'Andromaque
se jette à ses genoux pour la supplier d'obtenir de

Pyrrhus qu'il épargne Astyanax. « Mais, Madame,
cela vous regarde ! » Comme elle s'éloigne, Pyrrhus
paraît. Long dialogue pathétique où Pyrrhus somme
Andromaque de prendre une décision, de choisir
ou de l'épouser ou de perdre son fils, où Andromaque
se débat entre l'horreur de dire *oui* et l'épouvante de
dire *non*. « Finissons-en, Madame ; je vous conduira
au Temple ; et là je vous épouserai ou je livrerai
votre fils. » Restée seule avec Céphise, Andromaque
se désespère en rappelant les horreurs de la prise
de Troie et les sanglants exploits de Pyrrhus. Mais
il faut pourtant se décider :

Allons sur son tombeau consulter mon époux.

ACTE IV

Andromaque a pris une résolution tragique. Elle
épousera Pyrrhus ; et dès qu'elle sera sa femme elle
se tuera. Elle sait que Pyrrhus est « violent, mais
sincère ». Il mettra un point d'honneur à ne pas
livrer le fils de celle qui est tout de même devenue
sa femme. Elle s'enfuit quand Hermione paraît
et qu'Oreste la suit. « Je veux savoir, crie Hermione,
si vous m'aimez. Puisque vous dites m'aimer, il
faut, avant notre départ, me venger en immolant
Pyrrhus — Tuer Pyrrhus ! Mais comment ! Laissez-
moi quelque temps. — Non ! avant une heure, avant
qu'il n'épouse Andromaque !

Revenez tout couvert du sang de l'infidèle !
Allez ! en cet état soyez sûr de mon cœur.

Mais Pyrrhus paraît. Que veut-il ? « Va, Cléone,
dire à Oreste qu'il n'entreprenne rien sans revoir
Hermione ». Malheureusement pour lui, Pyrrhus ne

vient pas pour lui parler d'amour, mais pour
s'excuser sur les fatalités de l'amour, de ne plus
l'aimer. Ulcérée, Hermione lui répond avec un mépris
ironique et insultant qui passe graduellement à la
colère vengeresse :

> Porte aux pieds des autels ce cœur qui m'aban-
> [donne ;
> Va, cours. Mais crains encor d'y trouver Her-
> [mione.

ACTE V

Monologue angoissé d'Hermione : « Que l'infidèle
périsse, comme il le mérite. Mais il périra par moi,
par moi qui l'aime... » Cléone arrive. « Que se passe-
t-il ? » « La cérémonie du mariage se déroule. Pyrrhus
est au comble de ses vœux. » — « Que fait Oreste ? »
— « Il est dans le Temple avec ses Grecs. Mais il
ne sait que faire. Il vous adore mais il ne veut pas
être un assassin, l'assassin du fils d'Achille. » —
« Puisqu'Oreste lui-même me trahit, je cours au
Temple et me vengerai moi-même. » Inutile, car
Oreste paraît : « Pyrrhus rend à l'autel son infidèle
vie. » Et il expose complaisamment les détails
de l'attentat. Explosion désespérée d'Hermione :
« Pourquoi l'avoir tué ? »

> Qu'a-t-il fait ? A quel titre ?
> Qui te l'a dit ?

Et elle s'enfuit en lui criant qu'il n'est qu'un
monstre. La pièce se termine par une scène où
Pylade annonce qu'Hermione s'est tuée sur le corps
de Pyrrhus et où Oreste, poursuivi par de sanglantes
hallucinations, se laisse entraîner par les Grecs vers
ses vaisseaux.

On voit comment une pareille tragédie ne doit à peu près rien à la pièce d'Euripide. Racine ne lui emprunte que la jalousie meurtrière d'Hermione et la complicité d'Oreste. Encore cette jalousie agit-elle différemment ; chez Euripide Oreste n'arrive que par hasard ; et s'il machine le meurtre de Néoptolème c'est moins parce qu'il aime passionnément Hermione que par orgueil blessé de prétendant évincé. Pour tout l'essentiel Racine a inventé et conduit par lui-même son action. Quels en sont donc les caractères ?

Ce qui frappe tout d'abord, c'est sa simplicité relative, sa clarté et l'aisance de son mouvement. Ces qualités sont plus éminentes encore lorsqu'on compare *Andromaque* au plus grand nombre des tragédies qui l'ont précédée et, par exemple, à celles que nous avons étudiées. Pour que *Timocrate* soit possible, dans son absurdité, il faut supposer que Timocrate puisse passer deux fois de la ville d'Argos dans le camp des Crétois, sans qu'on puisse deviner comment ; qu'un chef crétois ait été capturé qui puisse reconnaître que le soi-disant Timocrate fait prisonnier par Nicandre n'est pas Timocrate ; que la reine d'Argos s'est fait le serment de mettre à mort Timocrate de telle façon qu'elle soit libérée de son serment dès qu'elle abdique, etc... Encore *Timocrate* est-il une tragi-comédie où les droits du romanesque sont, au XVIIᵉ siècle, beaucoup plus larges. Mais l'*Amalasonte* de Quinault est presque

aussi romanesque. Pour qu'on arrive au dénouement, il faut supposer que quatre complots, d'ailleurs naïfs, dirigés contre Théodat et Amalasonte
échouent successivement. Le second et le quatrième
ne semblent pouvoir réussir que par le point
d'honneur absurde qui interdit à Théodat de se
défendre ; et les victimes innocentes ne sont
sauvées que parce que la romanesque lettre empoisonnée est ouverte non par Théodat mais par
Cléodésile. L'*Attila* de Corneille est sans doute
beaucoup plus simple. L'action est conduite par
le seul Attila incertain entre son amour et son
intérêt politique. Mais elle est encombrée par les
deux soupirants Ardaric et Valamir, qui ne sont
que des velliétaires impuissants. Et elle est dénouée
par un simple hasard, la mort soudaine d'Attila, le
jour même de son mariage. *Othon* n'est qu'un
écheveau embrouillé de complots qui ont à peine
un commencement d'exécution et dont on ne peut
pas dire que le mérite de Corneille soit de les avoir
débrouillés ingénieusement. Par comparaison,
répétons-le, avec un grand nombre des tragédies
jouées entre 1656 et 1667, la pièce de Racine semble
donc marquer un incontestable progrès.

Mais le progrès est beaucoup moindre dès qu'on
connaît l'ensemble de ces tragédies et le mouvement général de l'opinion en matière de théâtre.
D'abord la simplicité d'*Andromaque* n'est que
relative. Elle est parfaite si l'on cherche les faits

de hasard qui interviennent au cours de l'action :
il n'y en a pas. Elle est beaucoup moindre si l'on
songe à ceux qui sont le point de départ. La pièce
ne peut se dérouler que si l'on suppose que Pyrrhus
n'aime pas Hermione mais aime Andromaque qui
ne l'aime pas mais aime le souvenir d'Hector et
qu'Hermione aime Pyrrhus qui ne l'aime pas et
est aimée d'Oreste qu'elle n'aime pas. Cet enchevêtrement d'amours sans réciprocité est une de ces
situations romanesques qui sont évidemment
exceptionnelles, et que les prédécesseurs de Racine
choisissaient, nous l'avons montré, justement
parce qu'elles étaient exceptionnelles. Tout aussi
exceptionnel et tout aussi cher aux dramaturges
contemporains est le dilemne catastrophe dans
lequel se trouve jetée Andromaque. Car il est banal
d'avoir à choisir entre deux résolutions, celle qui
sert notre intérêt et celle qui, en sacrifiant cet
intérêt, vous fait suivre notre devoir Mais il est
beaucoup plus rare d'avoir à choisir entre deux
décisions, dont aucune n'est dictée par le devoir
ou dont chacune est conforme à un devoir différent
et qui mènent toutes les deux à une catastrophe.
On ne peut pas parler de l'action d'*Andromaque*
en rappelant sans cesse les passages bien connus
des Préfaces de *Britannicus* et de *Bérénice* : « Que
faudrait-il faire pour contenter des juges si diffi-
ciles? La chose serait aisée pour peu qu'on voulût
trahir le bon sens. Il ne faudrait que s'écarter du

naturel pour se jeter dans l'extraordinaire. Au
lieu d'une action simple chargée de peu de matière,
telle que doit être une action qui se passe en un
seul jour et qui, s'avançant par degrés vers sa fin,
n'est soutenue que par les intérêts, les sentiments
et les passions des personnages ; il faudrait remplir
cette même action de quantité d'incidents qui ne
se pourraient passer qu'en un mois, d'un grand
nombre de jeux de théâtre d'autant plus surpre-
nants qu'ils seraient moins vraisemblables... Il
n'y a que le vraisemblable qui touche dans la
tragédie. Et quelle vraisemblance y a-t-il qu'il
arrive en un jour une multitude de choses qui
pourraient à peine arriver en plusieurs semaines ?
Il y en a qui pensent que cette simplicité est une
marque de peu d'invention. Ils ne songent pas
qu'au contraire toute l'invention consiste à faire
quelque chose de rien... ». On ne saurait rien dire
de plus net. Mais le Racine de 1669 et 1670 n'est
pas nécessairement et même n'est probablement
pas celui de 1667. Il y a eu dans l'intervalle la
vive querelle entre les raciniens et les cornéliens,
entre ceux qui préfèrent la tragédie d'amour et la
tragédie simple et ceux qui tiennent toujours pour
la tragédie des « grands intérêts » et la tragédie
« implexe ». Racine a toujours été très sensible
à la critique et très soucieux de plaire. Il a été
ainsi amené à reconnaître la valeur de la tragédie
des grands intérêts, puisqu'il écrit *Britannicus*, et

à prendre plus nettement conscience de la nécessité des actions simples.

D'ailleurs — et surtout — c'est une erreur de croire que ce sont les tragédies de Racine qui révèlent le prix de cette simplicité. Dans les dix années qui précèdent *Andromaque*, tout le monde commence à se lasser des œuvres qui emmêlent interminablement les aventures singulières et les péripéties miraculeuses. Au lieu des dix ou douze volumes des *Astrée*, des *Cléopâtre*, des *Grand Cyrus*, des *Clélie*, on ne voit plus que des «nouvelles», de courts romans qui n'ont plus qu'un volume ou même quelques dizaines de pages, tels que sont *Mathilde d'Aguilar* de Mlle de Scudéry, ou les romans de Mme de Villedieu, ou *la Princesse de Montpensier* de Mme de La Fayette. Au théâtre, pour nous en tenir à lui, un bon nombre des beaux esprits qui en discutent les règles tiennent fermement pour la simplicité. On le voit très clairement dans cette Querelle de *Sophonsibe* [1] qui opposa en 1663 les partisans de la conception cornélienne à ceux qui défendent une conception déjà racinienne. Corneille, ses défenseurs et ses adversaires échangèrent en six mois neuf dissertations qui finirent par devenir des imprécations. Celui qui mena l'attaque contre Corneille fut le

---

1. M. Bray l'a étudiée avec beaucoup de pénétration. (*La tragédie cornélienne devant la critique classique*. Paris, 1927.)

fameux abbé d'Aubignac. Déjà, dans sa *Pratique
du théâtre* (1657), il recommandait la vraisemblance ;
il blâmait les « sujets d'incidents », dont le plaisir
s'use, pour recommander ceux de passions dont
l'intérêt est durable. Il conseille au poète de « prendre son action la plus simple qu'il lui est possible ».
Mais il est encore loin de la conception racinienne
de la tragédie (du moins de la conception de
Bérénice). Il estime que la vraisemblance « enve-
loppe en soi le merveilleux », c'est-à-dire qu'on
peut fort bien être vraisemblable avec des appa-
ritions, des miracles et des prodiges ; qu'entre les
sujets d'incidents et ceux de passions les plus
excellents sont les « mixtes » ; il n'a pas plutôt
vanté l'action la plus simple qu'il propose comme
un sujet séduisant, de « feindre un palais sur le
bord de la mer, abandonné à de pauvres gens » ;
le hasard d'un naufrage y conduit un prince qui
le restaure ; puis un incendie le détruit, etc... Six
ans plus tard d'Aubignac se fait une idée bien
différente des sujets dramatiques les plus excellents.
Ni la *Sophonisbe*, ni le *Sertorius* de Corneille n'en
font partie, du moins pour leur sujet. Corneille
« a pris trop de sujet... ici bien qu'il s'est retranché
la liberté de conduire jusqu'au bout et à la mode,
c'est-à-dire excellemment, les fortes passions dont
il n'a presque fait que les ouvertures... Le plus
grand défaut d'un poème dramatique est lorsqu'il
a trop de sujet et qu'il est chargé d'un trop grand

nombre de personnages ». Et notre abbé comptera dans *Sertorius* jusqu'à cinq sujets.

Sans doute les sujets implexes sont bien loin de perdre tout crédit. Et quand on joue *Andromaque* ce sont eux qui dominent encore. Mais il y en a déjà qui sont aussi simples que celui de la pièce de Racine. L'évolution était d'ailleurs naturelle à partir du moment où l'on prenait goût à écrire et écouter des tragédies psychologiques et non plus des tragédies où l'on poursuit des grands intérêts d'ambition. Les inquiétudes et les remous des âmes peuvent prendre la place des complots, batailles, négociations et grands coups du sort. Nous aurons donc déjà, comme chez Racine, des pièces « sans évènements extérieurs », et toutes semblables aux siennes dans le principe de leur construction. C'est le cas pour mainte pièce de Quinault. Dans sa première tragédie, Cyrus, subitement épris de son ennemie, la reine Thomyris, dès qu'il l'aperçoit dans la bataille, se laisse faire prisonnier, déclare son amour et sa joie de mourir près de celle qu'il adore. Thomyris s'éprend de lui tout aussi soudainement. Mais elle a promis à son général en chef Odatirse de l'épouser s'il était victorieux. Que faire ? Une reine n'a qu'une parole et d'ailleurs Odatirse est tout-puissant. Elle l'épouse la mort dans l'âme. Dénouement : Cyrus tue Odatirse. Une reine doit punir un assassin ; une femme doit venger son mari. Cyrus est con-

damné à mort, exécuté et Thomyris se tue sur
son corps (comme dans *Andromaque*, Oreste tue
Pyrrhus et Hermione se tue sur son cadavre).
L'action n'est pas plus chargée d'événements
extérieurs dans *Astrate*, dans *Bellérophon*, dans
Pausanias. Et elle l'est encore moins dans le
Mariage de Cambise et dans *Stratonice*, ou dans les
dernières tragédies de du Ryer : « Les dernières
pièces de M. du Ryer, disent justement les frères
Parfait, sont vides d'action ; il a cru y suppléer
par les pensées et les sentiments » ; et dans certaines
tragédies de Gilbert, telles que son *Cresphonte*, son
Hypolite qui n'est pas plus complexe que la *Phèdre*
de Racine. Son *Arie et Pétus* est fait de rien : Néron
aime Arie, femme de Pétus ; il cherche vainement
à éloigner Pétus, mais n'y réussit pas et le condamne à mort. Arie se tue et Pétus l'imite. Même
Gilbert a écrit une tragédie : *Les amours de Diane
et d'Endymion* (1657) (qui est, il est vrai, une
tragédie-pastorale) réduite comme *Bérénice* à une
« élégie dramatique ». Diane est aimée d'Endymion
qui le lui dit ; elle partage son amour ; Apollon
qui s'éprend de Diane et veut l'épouser fait périr
Endymion ; désespoir de Diane.

Ces tragédies psychologiques, sobres d'événements, sont aussi bien des « tragédies crises ».
Combien de fois n'a-t-on pas répété qu'une découverte du génie de Racine a été de commencer son
action au moment où les passions, poussées à leur

paroxysme, exigent une solution rapide ; ce qui
rend facile l'obéissance à l'unité de temps ; et plus
facile celle à l'unité de lieu. Mais Thomas Corneille,
Quinault et les autres peignent aussi bien des passions et des passions si furieuses qu'elles ruminent
et exécutent des assassinats ; le goût des complications et du romanesque leur fait souvent entasser
trop de choses pour qu'elles puissent se dérouler
raisonnablement en vingt-quatre heures (ainsi
les quatre complots successifs de l'*Amalasonte* de
Quinault). Mais souvent aussi la véhémence des
sentiments, l'état de crise des personnages doivent
naturellement et même nécessairement précipiter
les décisions. S'il n'y a pas de difficultés à faire
entrer *Andromaque, Britannicus, Bérénice, Bajazet*,
etc. dans les vingt-quatre heures, il n'est pas plus
difficile d'y faire rentrer quelques tragédies de
Thomas Corneille et presque toutes les tragédies
de Quinault ou Gilbert. D'ailleurs, les discussions
et dissertations scolaires ont accordé aux unités
de temps et de lieu une importance que les contemporains ne leur ont jamais donnée. Les tragédies
et comédies s'affranchissent assez souvent de
l'unité de lieu. On se soucie fort peu d'entasser
plus d'événements qu'il n'est vraisemblable d'en
voir survenir en vingt-quatre heures. Enfin parmi
les innombrables discussions qui se poursuivent
dans les polémiques sur les pièces contemporaines,
il est tout à fait exceptionnel qu'on tienne pour

graves les manquements aux unités de temps et de lieu.

Jamais d'ailleurs, Racine lui-même, pas plus avant *Andromaque* qu'après elle, ne semble avoir accordé grande attention aux subtiles discussions, polémiques et inventions des doctes et doctissimes sur les règles et sur Aristote et particulièrement sur l'action et les ressorts de l'action. Sans doute il a lu Aristote (et, lui, dans le texte grec) ; il a traduit et brièvement annoté, avant 1667, des passages de sa *Poétique*. Mais ses notes, contre-disent assurément la légende, absurde en elle-même selon laquelle il aurait compté pour rien tout ce qui n'était pas le choix et la conduite de l'in-trigue. Son plan fait, sa pièce aurait été faite! Dans la *Poétique* au contraire, il s'intéresse avant tout à ce qui concerne la peinture des caractères et des mœurs. Au reste on sait fort bien que pour lui, comme pour Molière, La Fontaine, en somme, pour tout le monde les doctes sont presque tous des pédants et qu'on les tient pour des Vadius et des Trissotins beaucoup plus que pour des arbitres du bon goût. La grande règle de toutes les règles est l'art de plaire ; et l'art de plaire est un « je ne sais quoi » qu'on apprend en fréquentant les « honnêtes gens » et non pas ceux qui savent du grec ou pré-tendent en savoir. Je ne pense donc pas qu'en construisant sa pièce Racine se soit exactement préoccupé d'être en accord avec Aristote, Scaliger,

Castelvetro, Vida, Heinsins, Vossius, Chapelain
ou d'Aubignac. Il a suivi son bon sens, son intelligence, son goût. Et comme il avait plus de bon
sens et de goût que « Corneille vieilli » et que Thomas Corneille, Quinault ou les autres, il a su, mieux
que les autres concilier la simplicité, la vraisemblance et le pathétique.

Les trois unités sont respectées si l'on se résigne
à quelques conventions autour desquelles les doctes
se chamaillent (douze heures ou vingt-quatre
heures?) mais auxquelles on se résigne plus ou
moins facilement. L'unité de temps s'applique
assez facilement dès que l'on choisit la tragédie
simple et la tragédie crise ; et nous avons vu que
Racine n'est pas le premier à la réaliser. Convention
pourtant assez souvent ; et aussi bien dans *Andromaque*. Car les événements *peuvent* se dérouler en
vingt-quatre heures, mais ils auraient normalement
demandé plus de temps. Dans notre tragédie,
l'ambassadeur Oreste vient d'arriver. Il a fait un
assez long voyage, en un temps où l'on ne pouvait
cheminer qu'à cheval. Il n'a pas encore, au lever
du rideau, vu personnellement Pyrrhus. Quand il
le voit, il n'est pas vraisemblable qu'il lui demande
une réponse le même jour et que Pyrrhus exige
immédiatement d'Andromaque une décision et
célèbre le mariage dans le même après-midi. La
convention est encore beaucoup plus forte pour
l'unité de lieu ; et elle conduit Racine comme tous

les dramaturges classiques à de mêmes absurdités.
Andromaque peut et même doit se dérouler dans
le même palais de Pyrrhus mais non pas dans la
même salle. Dans cette même salle conventionnelle
tout se passe : les rencontres fortuites de gens qui
passent, les entretiens les plus confidentiels, les
ententes ou disputes de conspirateurs d'où dépendent la vie et la mort, les monologues qui n'ont
pas besoin de solitude pour clamer la détresse
ou la fureur, des délibérations royales les plus
graves, les réceptions d'ambassadeur. Il en est
ainsi pour *Andromaque* où, dans la même antichambre, Pyrrhus vient écouter Oreste sommer
Andromaque de l'épouser ou de perdre son fils,
où Andromaque vient gémir sur sa destinée, Hermione sur la sienne ou décider l'assassinat de
Pyrrhus. Même difficulté s'il s'agit d'une autre
règle, celle-là légitime et qui s'est, par la suite,
imposée à tout le théâtre, la règle de la « liaison
des scènes ». Très souvent, dans le théâtre du
XVIe siècle, dans celui de la première moitié du
XVIIe et parfois dans la seconde, les personnages
entrent ou sortent sans raison, sans qu'on sache
pourquoi ils sont là, viennent ou s'en vont. La
liaison des scènes exige qu'on sache ou qu'on
devine le motif de leur présence ou de leur sortie.
Mais que de fois il est impossible de deviner ce qui
les conduit dans cette même absurde antichambre.
Aussi nos dramaturges usent à l'envie de formules

qui se proposent de justifier les mouvements des
acteurs et qui ne font souvent que souligner ce
qu'ils ont d'arbitraire. Par exemple, dans notre
Timocrate, « Mais la reine paraît — Tais-toi,
Nicandre vient à nous (actes I et II) ». A partir de
l'acte III la confusion de la bataille entre les Argiens
et les Crétois, la capture d'un faux Timocrate et
la découverte de l'imposture justifient la confusion
des mouvements. Dans notre *Amalasonte* : « Ah !
prince, dans ce lieu qui [qu'est-ce qui] peut vous
faire attendre ? — Ah ! princes, vous venez comme
je le désire. — Quel dessein à telle heure en ce lieu
vous amène ? — Je vous cherche, Madame, afin
de vous apprendre, Que la reine chez vous sans
suite se va rendre ». Dans notre *Othon* : « Mais je
vois Martian. — Je vous rencontre ensemble ici
fort à propos. — L'empereur vient ici vous trouver
— Martian, que je vois, vous entretiendra mieux
— Je vois d'ailleurs Lacus. — Mais que me veut
Flavie épouvantée ? ». Les mêmes formules ne sont
pas absentes d'*Andromaque* : « Me cherchiez-vous
Madame ? — Je vous cherchais, Seigneur — Où
donc est la princesse ? Ne m'avais-tu pas dit qu'elle
était en ces lieux ? — Vous ne m'attendiez pas,
Madame ». Mais, d'une façon générale, les mouvements des personnages sont vraisemblables et
même nécessaires. Il est naturel qu'à l'acte I
Pyrrhus (malgré l'objection de protocole que nous
verrons en étudiant la querelle d'*Andromaque*)

cherche Oreste pour avoir confirmation de l'exigence des Grecs ; qu'il cherche Andromaque pour
lui faire savoir qu'elle doit choisir entre son mariage
et la vie de son fils ; qu'Oreste désire revoir le plus
tôt possible Hermione qu'il adore et qu'il n'a pas
revue depuis longtemps. A l'acte II, cette entrevue
a lieu. Pyrrhus, qu'Andromaque a repoussé une fois
de plus, doit joindre Oreste pour lui annoncer qu'il
revient sur son refus de livrer Astyanax et qu'il épousera Hermione. A l'acte III, Oreste décide d'enlever
Hermione par la violence. Il n'est pas nécessaire
qu'il rencontre Hermione puisqu'il n'a rien à lui
demander. Mais il est nécessaire qu'Andromaque,
avertie du mariage de Pyrrhus et d'Hermione,
vienne trouver Hermione pour la supplier de décider
Pyrrhus à épargner Astyanax. Il est non moins
nécessaire que Pyrrhus, toujours partagé entre sa
colère d'amant rebuté et sa passion toujours vivace,
vienne à nouveau lui demander si elle persiste
dans son refus. A l'acte V, il n'est pas nécessaire
qu'Hermione rencontre Andromaque qui vient de
dire à Céphise qu'elle a consenti à épouser Pyrrhus
mais qu'elle se tuera après la cérémonie. Par contre,
il est nécessaire qu'Hermione, ivre de fureur jalouse,
fasse chercher Oreste et lui ordonne de tuer Pyrrhus.
Après quoi il est nécessaire qu'elle attende des
nouvelles. Il n'est pas nécessaire, mais il est naturel
ou possible que Pyrrhus survienne pour essayer
d'excuser son mariage et sa trahison, puis s'éloigne

pour courir au temple ; Acte V : Hermione est
toujours là, dans l'angoisse des nouvelles qu'on
va lui apporter, et qu'Oreste lui apporte pour se
voir maudit. Il serait facile et fastidieux de montrer que, très souvent au contraire, dans les pièces
de Thomas Corneille, de Corneille, de Quinault et
des autres, les personnages ont une raison générale
de s'agiter et de se chercher mais sans raison parti-
culière de le faire à tel moment et que c'est par
hasard qu'ils se rencontrent à tel endroit.

Surtout Racine a beaucoup plus que ses prédécesseurs et que Corneille, empêtré dans les détours
de ses intrigues, l'art de ménager le pathétique,
un pathétique à la fois simple et comme inévitable
et en même temps poussé jusqu'aux limites de
l'angoisse tragique. Terreur et pitié chez les autres
ne nous apparaissent le plus souvent que comme
une adresse de bel esprit. Chez Racine, elles semblent comme la cruelle nécessité d'une impitoyable
réalité. Ne parlons pas de *Timocrate*. L'invraisem-
blance des situations, les conventions de l'amour
galant rendent nécessairement froides les plus
ingénieuses péripéties. Ne parlons pas beaucoup
plus d'*Amalasonte*. Prise séparément, chaque péripétie pourrait avoir son pathétique. Comme chez
Racine, une femme jalouse et violente a juré de
perdre sa rivale pour lui arracher celui qu'elle aime.
Encore faut-il que les ruses ou cruautés de sa
vengeance créent l'angoisse et non pas la lassitude.

Mais qu'en une journée quatre complots avortent
surtout lorsque chacun d'entre eux reste puéril
et nous donne l'impression qu'il ne peut réussir,
c'est ce qui au lieu de faire croître l'angoisse ne
peut que créer la satiété. Pourquoi quatre et non
pas une douzaine ? Pourquoi ne pas poster une
douzaine d'assassins à gages derrière douze portes
par lesquelles Théodat doit nécessairement passer.
Othon a une construction moins naïve. La situation
est historiquement normale. Il était normal que
les empereurs romains fussent choisis ou supprimés
par ce que Corneille appelle des « intrigues de
cabinet ». Mais pour qu'il y eût anxiété dramatique
il faudrait que l'un des intrigants, nous fût sym-
pathique ; ce qui n'est pas le cas pour Vinius, ni
pour Othon, ni à plus forte raison, pour Galba,
Lacus et Martian. Supposons d'ailleurs qu'Othon
ne soit pas Othon, mais une grande âme qui aspire
au pouvoir comme Titus l'accepte, pour le bien
de l'empire. La construction dramatique ne serait
pas plus heureuse. Ces intrigues de cabinet, nous
dit Corneille, « se détruisent les unes les autres ».
En réalité elles ne se détruisent pas, car ce ne sont
guère que des commencements d'intrigue dont
aucune, à un moment donné, ne menace d'imposer
un dénouement. Rien ne semble nous entraîner
vers le triomphe de celui-ci ou de celui-là. Sans
cesse nous attendons la péripétie qui nous sorte d'un
remous confus. Et c'est, comme nous l'avons dit,

un hasard qui donne la victoire à l'un des quatre
intrigants de cabinet. Seul *Attila* (et c'est en partie
ce qui explique son succès) est une pièce conduite
avec naturel et avec adresse ; et elle pourrait nous
émouvoir si Attila n'était pas Attila, si tous les
autres personnages étaient autre chose que de
pâles ou d'assez pâles fantômes et si la passion
d'Attila était autre chose que des langueurs de
Céladon.

Quelles différences avec la pièce de Racine! Ici
un seul problème : Andromaque acceptera-t-elle
ou refusera-t-elle d'épouser Pyrrhus? De sa décision
dépend et son destin et le destin de son fils
et ceux de Pyrrhus, d'Hermione et d'Oreste. Et
un problème qui ne peut cesser de faire peser sa
mortelle angoisse. Car nous savons bien qu'il faut
ou qu'elle épouse le fils de celui qui a tué son mari,
celui qui s'est ensanglanté dans le carnage de Troie
ou que son fils périsse. Dès le début nous comprenons que Pyrrhus n'est pas, ne peut pas être, quoi
qu'il arrive, un de ces chevaliers qui décident
d'exposer leur vie et le destin d'un empire pour
protéger la veuve et l'orphelin. Andromaque ira-
t-elle vers un odieux sacrifice d'elle-même ou vers
le sacrifice de son fils? Il est inévitable qu'elle
hésite. Et c'est du balancement de ces hésitations
que vont naître par une sorte de puissance fatale
toutes les péripéties de la pièce. Oreste vient d'arriver, hanté par la passion aveugle qui fera de lui

l'esclave de toutes les impulsions d'Hermione. Son
ambassade n'est qu'un prétexte pour lui ; mais son
objet est bien réel. Pyrrhus le sait ; il faut livrer
Astyanax ou dresser contre lui toute la Grèce. Il
est tout prêt à courir le risque d'une guerre redoutable. Mais il faut qu'Andromaque l'épouse et
qu'il combatte pour sa femme ou pour le fils de
sa femme : « Choisissez, lui dit-il ; de vous dépend
ma réponse ». Andromaque d'abord refuse de
répondre. Cependant Hermione, délaissée et
désarmée, remâche ses tourments et ses rancœurs.
Oreste est là dont elle se sait adorée et qu'elle
n'aimera jamais. Mais qui sait ? Qui sait, quand on
est désespérée, d'où peut venir un inconcevable
secours. Il faut voir Oreste. Sans doute, en l'écou-
tant et en lui répondant on trahira que c'est Pyrrhus
que l'on aime. Mais Pyrrhus aime Andromaque.
S'il épouse Andromaque elle n'aura plus qu'un
appui : Oreste. C'est Oreste qu'elle suivra. Cependant, irrité de la résistance d'Andromaque, Pyrrhus
a décidé de revenir à Hermione. Il le dit du moins
à Oreste. Mais il est moins ferme pour le dire à
lui-même. Près de perdre Andromaque à tout
jamais par sa propre décision il est obsédé par le
regret lancinant de renoncer à celle qu'il ne peut
cesser d'adorer. Oreste pourtant le croit ; et dans
son désespoir il prend la résolution d'enlever Hermione par la force. Hermione, elle aussi, croit
Pyrrhus ; on croit si aisément ce que l'on désire

avec violence. Elle est triomphante. Elle reçoit
avec une cruauté ironique et méprisante Andromaque qui ne peut pas ne pas venir la supplier
pour son fils. Pyrrhus, toujours partagé entre sa
colère et son amour, n'a pas pu ne pas revoir Andromaque. Repoussée par Hermione, torturée par le
péril de son fils, elle ne peut plus dire non. Elle ne
peut pas dire oui. Elle ira sur son tombeau consulter son époux. Elle imagine alors le subterfuge
naïf qui, par la mort de Pyrrhus, la sauvera elle
et son fils ; elle épousera Pyrrhus ; devant les dieux
elle sera sa femme et reine ; puis elle se tuera.
Elle dit donc *oui* à Pyrrhus. Tout se prépare pour
le mariage. Dès lors la rage d'Hermione est
déchaînée. Elle ordonne à Oreste d'assassiner
Pyrrhus. Et elle s'enfonce encore plus avant dans
son désir de vengeance lorsque Pyrrhus, incon-
sciemment, croit devoir s'excuser auprès d'elle
de l'abandonner. Le cinquième acte, haletant,
n'est plus que l'acte de l'assassinat. Angoisses
d'Hermione : « Qu'ai-je ordonné à Oreste? C'est
moi qui l'adore, qui massacrerai Pyrrhus! ». Mais
il est trop tard. Il n'y a plus qu'à écouter Céphise
qui a vu le commencement de la cérémonie. Pyrrhus
n'a d'yeux que pour Andromaque « — Le monstre !
— Que fait Oreste ? Il semble hésiter... ». Non,
il a pris sa résolution. Il arrive : « Pyrrhus est
mort ». Il ne reste à Hermione qu'à le maudire
et à se tuer ; cependant qu'Oreste en proie

à de sanglantes hallucinations est entraîné par les siens.

Rien dans tout cela qui sente l'artifice, qui trahisse l'adresse d'un auteur trop ingénieux, la satisfaction d'un Corneille fier de savoir débrouiller ce qu'il embrouille à plaisir. Il semble que, d'un bout à l'autre, rien ne pouvait se passer autrement. Même la pièce de Racine échappe aux dangers que les goûts du temps imposaient aux auteurs de tragédies. Il faut toujours se souvenir que le prétendu réalisme de Racine avait aussi peu de rapport avec la vie réelle, au moins à la représentation, que n'en peut avoir un opéra. Costume des acteurs : petite jupe ballonnée ou tonnelet, casques ornés de vastes panaches, perruque ; pour les dames, robe de cour, même s'il s'agit de l'esclave d'une esclave, comme l'est Céphise, dans *Andromaque*. Ces acteurs et actrices jouent dans un étroit espace entre la rampe et sur les trois autres côtés les rangées de bancs occupés par les spectateurs de marque (dans *Horace* ces spectateurs doivent faire place à Camille pour qu'elle s'enfuie dans la coulisse devant l'épée nue de son frère). Chaque personnage s'avance devant le trou du souffleur pour déclamer sa tirade, sur un ton de mélopée. Dans ces conditions les acteurs, d'accord d'ailleurs avec le goût des spectateurs, réclamaient leurs morceaux à effet, comme on attend le grand air dans un opéra italien. Ces grands airs, c'étaient (outre les stances

à peu près passées de mode en 1667) les imprécations, les longs monologues et les récits. Or il y a
trois récits dans *Andromaque* : le récit-exposition
d'Oreste (I, 1) ; le récit de la prise de Troie par
Andromaque (III,8) et le récit-dénoncement de
la mort de Pyrrhus (V, 2-3). Mais ces récits sont
bien différents de ceux que l'on trouve dans la
plupart des tragédies antérieures ou contemporaines. On a très souvent dit que le récit du combat
contre les Maures, dans *le Cid*, ou le récit de Théramène dans *Phèdre* manquait de vraisemblance
par leur continuité et leur minutie. Mais avant
Phèdre il y a pis que le récit de Théramène. Dans
le *Bellérophon* de Quinault (1671), *Bellérophon* a
été arrêté grâce aux intrigues de Sténobée qui
l'aime, qu'il n'aime pas et qui veut se venger. Il
rencontre, sur le chemin de sa prison, la Chimère
dévastatrice, l'attaque, au péril de ses jours, sauve
le pays et se sauve ainsi lui-même :

TIMANTE

C'en est fait, il est mort. Par votre ordre arrêté,
Seul, dans un char couvert, de soldats escorté,
Je le (Bellérophon) faisais conduire au fort en
[diligence :
Nous marchions à grands pas dans un profond
[silence,
Quand à côté de nous du fond du bois prochain
D'horribles hurlements ont retenti soudain.
A ce bruit qui pénètre et transit jusqu'à l'âme,
A travers des brouillons de fumée et de flamme,

Paraît ce monstre affreux que le Ciel en courroux
A tiré des enfers pour s'armer contre nous.
Il se fait reconnaître à la confuse forme,
D'un corps prodigieux d'une grandeur énorme.
Lion, chèvre, dragon, composé de tous trois,
C'est en un monstre seul trois monstres à la fois.
Il n'est sur son passage endroit qu'il ne désole,
Il rugit, crie et siffle, il court, bondit et vole ;
Des yeux il nous dévore, il ouvre avec fureur
De sa gueule béante un gouffre plein d'horreur,
Et pour fondre sur nous s'excitant au carnage,
Sur des rochers qu'il brise il aiguise sa rage.
A l'entendre, à le voir, tout tremble, tout frémit :
Le jour même est troublé des noirs feux qu'il vomit.
A ce terrible objet, de mortelles alarmes
Font fuir tous nos soldats, leur font jeter les armes ;
Le seul Bellérophon, ferme dans ce danger,
D'un regard intrépide ose l'envisager.
Je fais tourner son char pour regagner la ville
Mais il rend malgré moi tout mon soin inutile.
Il s'élance, et saisit en le jetant à bas,
Des armes que la peur fait jeter aux soldats,
Non, par un vain espoir de faire résistance,
Contre un monstre au-dessus de l'humaine puissance
Mais pour chercher encor, dans un trépas certain,
L'honneur d'être immolé les armes à la main.
C'est ainsi que lui-même il s'offre en sacrifice :
Laisse-moi, m'a-t-il dit, abréger mon supplice ;
Va, retourne à la Reine annoncer mon trépas ;
Dis-lui, quoi qu'elle ait fait, que je ne m'en plains pas ;
Pourvu qu'au moins, rendant justice à ma mémoire,
Elle ait après ma mort quelque soin de ma gloire.
. . . .

*(Après cette fausse annonce la mort de Bellérophon est
démentie par Prœtus).*

PRŒTUS

> J'allais me retirer,
Lorsque j'ai vu le Monstre et n'ai pu me défendre
D'admirer qu'un perfide osât lui seul l'attendre.
Ses gardes pleins d'effroi l'ayant d'abord quitté,
Le bruit de son trépas a partout éclaté ;
Et contre un ennemi jusqu'alors indomptable,
Lui-même a dû juger sa perte inévitable.
Cependant il l'attaque avec un dard lancé,
Qui, perçant l'œil du monstre, y demeure enfoncé ;
Son sang qui par ce coup jaillit en abondance,
L'achevant d'aveugler, détourne sa vengeance ;
Sa victime à couvert par son aveuglement
A sa fureur errante échappe heureusement.
Ce grand corps, sans rien voir, s'élance à l'aventure,
Il se veut prendre au dard qu'il sent dans sa blessure ;
Mais n'y pouvant atteindre, il se heurte, il se mord,
Il s'affaiblit toujours par ce qu'il fait d'effort ;
Et plus en s'agitant sa rage en vain s'essaye,
Plus le dard qui pénètre approfondit la plaie.

PHILONOÉ

Ainsi Bellérophon évite le trépas ?

PRŒTUS

Loin d'éviter le Monstre, il marche sur ses pas.
Il le voit qui revient, il l'attend au passage ;
Observe un faible endroit, joint l'adresse au courage ;
Un javelot en main, à côté se glissant,
Choisit le flanc qu'il montre, et le perce en passant,
Le coup en est mortel ; le Monstre qui se roule
S'efforce d'avaler tout son sang qui s'écoule,
Epuise à se débattre un reste de vigueur,
Et tombe enfin sans vie aux pieds de son vainqueur.

Le peuple au haut des tours, témoin de sa vic-
                                    [toire,
Par de longs cris de joie en célèbre la gloire.
Il sort, il court en foule, où ce grand corps sanglant
Tout mort qu'il est, étonne, et n'est vu qu'en trem-
                                    [blant.
Plus à voir ce prodige, on s'effraye, on se trouble,
Plus l'admiration pour le vainqueur redouble.
Chacun pour l'honorer s'efforce d'enchérir.
Tel assure avoir vu des Dieux le secourir,
Et venir assister ses forces inégales,
L'un d'un cheval volant, l'autre d'armes fatales ;

Que de rhétorique pompeuse dans ce morceau,
plus pompeuse et encore plus inutile que celle où
nous voyons dans *Phèdre*, le monstre envoyé par
Neptune recourber sa croupe en replis tortueux.
L'allure des récits et leur raison d'être sont bien
différents dans *Andromaque*. Le récit exposition se
justifie d'abord par la nécessité de faire connaître
la situation qui est le point de départ du drame.
Mais il est ces mêmes temps, constamment, une
peinture du caractère d'Oreste, de l'exaltation qui
le possède, de la violence de passion qui est l'atmosphère de toute la pièce et sans laquelle il n'y aurait
pas d'assassinat de Pyrrhus, pas de possibilité d'assassinat, pas de pièce. Je marque par des caractères
italiques tout ce qui est ainsi la révélation d'une
âme :

Je me trompois moi-même.
Ami, n'accable point un malheureux qui t'aime.

T'ai-je jamais caché mon cœur et mes désirs ?
Tu vis naître ma flamme et mes premiers soupirs.
Enfin, quand Ménélas disposa de sa fille
En faveur de Pyrrhus, vengeur de sa famille,
Tu vis mon désespoir ; et tu m'as vu depuis
Traîner de mers en mers ma chaîne et mes ennuis.
Je te vis à regret, en cet état funeste,
Prêt à suivre partout le déplorable Oreste,
Toujours de ma fureur interrompre le cours,
Et de moi-même enfin me sauver tous les jours.
Mais quand je me souvins que parmi tant d'alarmes
Hermione à Pyrrhus prodiguoit tous ses charmes,
Tu sais de quel courroux mon cœur alors épris
Voulut en l'oubliant punir tous ses mépris.
Je fis croire et je crus ma victoire certaine ;
Je pris tous mes transports pour des transports de
                                          [haine ;
Détestant ses rigueurs, rabaissant ses attraits,
Je défiois ses yeux de me troubler jamais.
Voilà comme je crus étouffer ma tendresse.
En ce calme trompeur j'arrivai dans la Grèce ;
Et je trouvai d'abord ses princes rassemblés,
Qu'un péril assez grand sembloit avoir troublés.
J'y courus. Je pensai que la guerre et la gloire
De soins plus importants rempliroient ma mémoire ;
Que mes sens reprenant leur première vigueur,
L'amour achèveroit de sortir de mon cœur.
Mais admire avec moi le sort dont la poursuite
Me fait courir alors au piège que j'évite.
J'entends de tous côtés qu'on menace Pyrrhus ;
Toute la Grèce éclate en murmure confus ;
On se plaint qu'oubliant son sang et sa promesse
Il élève en sa cour l'ennemi de la Grèce,
Astyanax, d'Hector jeune et malheureux fils,
Reste de tant de rois sous Troie ensevelis.

J'apprends que pour ravir son enfance au supplice
Andromaque trompa l'ingénieux Ulysse,
Tandis qu'un autre enfant, arraché de ses bras,
Sous le nom de son fils fut conduit au trépas.
On dit que peu sensible aux charmes d'Hermione,
Mon rival porte ailleurs son cœur et sa couronne ;
Ménélas, sans le croire, en paroit affligé,
Et se plaint d'un hymen si longtemps négligé.
Parmi les déplaisirs où son âme se noie,
Il s'élève en la mienne une secrète joie :
Je triomphe ; et pourtant je me flatte d'abord
Que la seule vengeance excite ce transport.
Mais l'ingrate en mon cœur reprit bientôt sa place :
De mes feux mal éteints je reconnus la trace ;
Je sentis que ma haine alloit finir son cours,
Ou plutôt je sentis que je l'aimois toujours.
Ainsi de tous les Grecs je brigue le suffrage.
On m'envoie à Pyrrhus ; j'entreprends ce voyage.
Je viens voir si l'on peut arracher de ses bras
Cet enfant dont la vie alarme tant d'États :
Heureux si je pouvois, dans l'ardeur qui me presse,
Au lieu d'Astyanax lui ravir ma princesse !
Car enfin n'attends pas que mes feux redoublés
Des périls les plus grands puissent être troublés.
Puisqu'après tant d'efforts ma résistance est vaine,
Je me livre en aveugle au destin qui m'entraîne.
J'aime : je viens chercher Hermione en ces lieux,
La fléchir, l'enlever, ou mourir à ses yeux.
Toi qui connois Pyrrhus, que penses-tu qu'il fasse ?
Dans sa cour, dans son cœur, dis-moi ce qui se passe.
Mon Hermione encor le tient-elle asservi ?
Me rendra-t-il, Pylade, un bien qu'il m'a ravi ?

En lui-même le récit de la prise de Troie et des
adieux d'Hector et d'Andromaque, relativement

court (30 vers), serait plutôt trop long. Car Céphise, confidente d'Andromaque, est évidemment une Troyenne. Elle assistait à la prise de Troie. Elle a vécu les horreurs du carnage. Mais, dans la réalité, au moment d'accepter Pyrrhus pour époux, Andromaque revit nécessairement, dans une vision intérieure qui se dresse en elle, et ces derniers adieux et la nuit du massacre. Ce qu'elle dit n'est que la traduction par des mots de ce qu'elle doit revoir intensément par l'imagination :

> Dois-je les oublier, s'il ne s'en souvient plus ?
> Dois-je oublier Hector privé de funérailles,
> Et traîné sans honneur autour de nos murailles ?
> Dois-je oublier son père à mes pieds renversé,
> Ensanglantant l'autel qu'il tenoit embrassé ?
> Songe, songe, Céphise, à cette nuit cruelle
> Qui fut pour tout un peuple une nuit éternelle.
> Figure-toi Pyrrhus, les yeux étincelants,
> Entrant à la lueur de nos palais brûlants,
> Sur tous mes frères morts se faisant un passage,
> Et de sang tout couvert échauffant le carnage.
> Songe aux cris des vainqueurs, songe aux cris des
> [mourants,
> Dans la flamme étouffés, sous le fer expirants.
> Peins-toi dans ces horreurs Andromaque éperdue :
> Voilà comme Pyrrhus vint s'offrir à ma vue ;
> Voilà par quels exploits il sut se couronner ;
> Enfin voilà l'époux que tu me veux donner.
> Non, je ne serai point complice de ses crimes ;
> Qu'il nous prenne, s'il veut, pour dernières victi-
> [mes.
> Tous mes ressentiments lui seroient asservis.

CÉPHISE

Hé bien! allons donc voir expirer votre fils :
On n'attend plus que vous. Vous frémissez, Madame.

ANDROMAQUE

Ah ! de quel souvenir viens-tu frapper mon âme !
Quoi ? Céphise, j'irai voir expirer encor
Ce fils, ma seule joie, et l'image d'Hector :
Ce fils, que de sa flamme il me laissa pour gage !
Hélas ! je m'en souviens, le jour que son courage
Lui fit chercher Achille, ou plutôt le trépas,
Il demanda son fils, et le prit dans ses bras :
« Chère épouse, dit-il, en essuyant mes larmes,
J'ignore quel succès le sort garde à mes armes ;
Je te laisse mon fils pour gage de ma foi :
S'il me perd, je prétends qu'il me retrouve en toi.
Si d'un heureux hymen la mémoire t'est chère,
Montre au fils à quel point tu chérissois le père. »

Enfin le récit de la mort de Pyrrhus est autre
chose qu'un morceau à effet. Racine emprunte
certainement à *Horace* le procédé du récit coupé
(comme Quinault l'emprunte, dans *Bellérophon*,
à Corneille et à Racine). Hermione croit d'abord
qu'Oreste recule devant l'assassinat vengeance, que
Pyrrhus triomphe au bras d'Andromaque. Une fois
de plus, l'amour est étouffé par une haine démente.
Ce qui rendra plus pathétique encore le cri désespéré : « Qu'a-t-il fait ? A quel titre ? Qui te l'a dit ? ».

CLÉONE

Il est au comble de ses vœux,
Le plus fier des mortels (*Pyrrhus*) et le plus amoureux.

Je l'ai vu vers le temple, où son hymen s'apprête,
Mener en conquérant sa nouvelle conquête ;
Et d'un œil où brilloient sa joie et son espoir
S'enivrer en marchant du plaisir de la voir.
Andromaque, au travers de mille cris de joie,
Porte jusqu'aux autels le souvenir de Troie :
Incapable toujours d'aimer et de haïr,
Sans joie et sans murmure elle semble obéir.

HERMIONE

Et l'ingrat ? jusqu'au bout il a poussé l'outrage ?
Mais as-tu bien, Cléone, observé son visage?
Goûte-t-il des plaisirs tranquilles et parfaits?
N'a-t-il point détourné ses yeux vers le palais ?
Dis-moi, ne t'es-tu point présentée à sa vue ?
L'ingrat a-t-il rougi lorsqu'il t'a reconnue ?
Son trouble avouoit-il son infidélité?
A-t-il jusqu'à la fin soutenu sa fierté ?

CLÉONE

Madame, il ne voit rien. Son salut et sa gloire
Semblent être avec vous sortis de sa mémoire.
Sans songer qui le suit, ennemis ou sujets,
Il poursuit seulement ses amoureux projets.
Autour du fils d'Hector il a rangé sa garde,
Et croit que c'est lui seul que le péril regarde.
Phœnix même en répond, qui l'a conduit exprès
Dans un fort éloigné du temple et du palais.
Voilà, dans ses transports, le seul soin qui lui reste.

HERMIONE

Le perfide ! Il mourra. Mais que t'a dit Oreste ?

CLÉONE

Oreste avec ses Grecs dans le temple est entré.

HERMIONE

Hé bien ! à me venger n'est-il pas préparé ?

CLÉONE

Je ne sais.

HERMIONE

Tu ne sais ? Quoi donc ? Oreste encore,
Oreste me trahit ?

CLÉONE

Oreste vous adore.
Mais de mille remords son esprit combattu
Croit tantôt son amour et tantôt sa vertu.
Il respecte en Pyrrhus l'honneur du diadème ;
Il respecte en Pyrrhus Achille, et Pyrrhus même ;
Il craint la Grèce, il craint l'univers en courroux ;
Mais il se craint, dit-il, soi-même plus que tous.
Il voudroit en vainqueur vous apporter sa tête :
Le seul nom d'assassin l'épouvante et l'arrête.
Enfin, il est entré sans savoir dans son cœur
S'il en devoit sortir coupable ou spectateur.

HERMIONE

Non, non, il les verra triompher sans obstacle :
Il se gardera bien de troubler ce spectacle.
Je sais de quels remords son courage est atteint :
Le lâche craint la mort, et c'est tout ce qu'il craint.
Quoi ? sans qu'elle employât une seule prière,
Ma mère en sa faveur arma la Grèce entière ?
Ses yeux pour leur querelle, en dix ans de combats,
Virent périr trois rois qu'ils ne connoissoient pas ?
Et moi, je ne prétends que la mort d'un parjure,
Et je charge un amant du soin de mon injure ;
Il peut me conquérir à ce prix sans danger ;
Je me livre moi-même, et ne puis me venger ?

Allons : c'est à moi seule à me rendre justice.
Que de cris de douleur le temple retentisse ;
De leur hymen fatal troublons l'événement,
Et qu'ils ne soient unis, s'il se peut, qu'un moment.
Je ne choisirai point dans ce désordre extrême :
Tout me sera Pyrrhus, fût-ce Oreste lui-même.
Je mourrai ; mais au moins ma mort me vengera.
Je ne mourrai pas seule, et quelqu'un me suivra.

Scéne III. — ORESTE, HERMIONE, CLÉONE

ORESTE

Madame, c'en est fait, et vous êtes servie :
Pyrrhus rend à l'autel son infidèle vie.

HERMIONE

Il est mort ?

ORESTE

          Il expire ; et nos Grecs irrités
Ont lavé dans son sang ses infidélités...

CHAPITRE IV

LES MŒURS. LA VRAISEMBLANCE.
LES BIENSÉANCES.

Trois points auxquels les doctes du XVIIe siècle attachaient une grande importance. Non pas sans doute qu'ils les crussent essentiels. Mais ils offraient une ample matière à de subtiles discussions et l'on ne s'est pas fait faute de les multiplier. Quelles mœurs faut-il donner d'une façon générale aux personnages que l'on met en scène ? Sans doute ils auront leur caractère particulier. S'ils sont scythes, ils ne seront pas tous des barbares cruels et impitoyables. S'ils sont des bergers d'Arcadie, ils ne seront pas tous occupés à tresser des couronnes pour leur bien-aimée. Mais faut-il tout de même leur donner, dans l'ensemble, un caractère général qui tient à leur temps et à leur milieu ? Si l'on s'en tient aux principes du classicisme, nature, vérité, raison, il faudrait répondre *oui*. Et c'est bien ainsi que répondent d'abord nos théoriciens. Seulement ils apportent tout de suite à ce *oui* des restrictions qui le transforment en fait en un *non*. Il ne s'agit plus d'être vrai ; il s'agit de le paraître au commun des spectateurs. La vraisemblance, c'est-à-dire ce que ces spectateurs peuvent accepter

immédiatement comme vrai, doit l'emporter sur
la vérité. La vérité doit donc être contrôlée
et, quand il le faut, changée par les « bienséances ». C'est-à-dire que les spectateurs ne sont
pas des érudits ; ils ont leurs façons de penser
et de sentir. Ils croient qu'un roi doit nécessairement agir de telle ou telle façon, qu'une princesse ne peut se marier que de telle ou telle
façon, qu'entre grands de ce monde on observe,
même en s'assassinant, un certain protocole. Il
ne faut pas prétendre heurter même ces igno-
rances et ces préjugés.

Ce souci de la vraisemblance et des bienséances,
préférables à une vérité qui surprend et qui choque,
est d'autant plus vif que les contemporains de
Racine et Racine lui-même n'ont aucun sens historique. Sans doute ils font paraître de temps à
autres quelque timide scrupule. On dira à Racine
que son Pyrrhus est ou trop barbare ou pas assez
barbare ; on lui dira que les Turcs de Bajazet ne
sont pas assez turcs ; on se lasse (mais d'ailleurs
pas toujours) des pseudo Perses, Romains, Orien-
taux de Mlle de Scudéry ou de la Calprenède. Mais
on est en fait incapable de concevoir les personnages des poèmes héroïques ou des tragédies autrement que des princes et seigneurs de la cour de
Louis XIV. On dira à Desmarets de Saint-Sorlin
que même du temps de Clovis une reine ne se jette
pas d'un navire en perdition en chemise de nuit,

même pour sauver sa vie. On dira à Corneille que, dans *Horace*, le seigneur Valère ne doit pas venger la mort de Camille en se faisant l'accusateur d'Horace devant le tribunal de Tulle ; un gentil-homme se venge en provoquant en duel celui qu'il veut punir. On dira à Corneille qu'on ne peut admettre que dans sa *Sophonisbe*, Sophonisbe épouse un deuxième mari alors que le premier est encore vivant. La *Querelle des Anciens et des Modernes* montrera bien la profondeur de cette incompréhension. Que diront les Modernes ? Que les modernes sont supérieurs aux anciens parce que ceux-ci étaient encore trop sauvages et bar-bares, qu'ils ignoraient cette fleur de la civilisation et de l'art qui est la politesse et la civilité ; qu'Aga-memnon sert lui-même les tranches de rôti à ses invités royaux, que Nausicaa, fille de roi, va faire sa lessive, qu'on parle de vaches, qu'Ulysse s'en-tretient avec son porcher etc. Qu'auraient dû répondre les Anciens ? Que tout cela était vrai. Et que c'était justement ces différences de mœurs, cette impression de mœurs primitives, plus simples qui faisait un des charmes d'Homère ? Ils n'en ont jamais eu l'idée. Ils ont sué péniblement pour esquiver les arguments de leurs adversaires, pour affirmer que les mots d'*âne* ou de *vache*, qui dans notre langue ne sont pas nobles, le sont en réalité dans la langue grecque et que, pour bien compren-dre Homère, il suffit de traduire *vache* par *génisse*.

Sur ce point Racine ne raisonne pas autrement que Boileau ou Mme Dacier.

C'est pour cela que Racine a si profondément modifié l'intrigue d'Euripide qu'il n'en reste à peu près rien. Nous savons bien qu'à l'époque de la guerre de Troie une reine captive n'était plus qu'une esclave comme la dernière des esclaves et que le maître en disposait à son gré. Mais cette vérité historique heurtait brutalement, pour les spectateurs, la vraisemblance et les bienséances. Elle les choquait d'autant plus que la situation d'Andromaque pouvait leur rappeler une situation dont ils étaient les témoins. M. J.-T. Morel a eu raison de rappeler que la pièce de Racine est dédiée à cette Henriette d'Angleterre si fine, si vivante, si ardente même, qui restera, jusqu'à sa mort, la grande protectrice de Racine. Elle était fille d'Henriette de France, reine d'Angleterre, veuve de Charles Ier, le roi décapité. Si elle avait échappé à la captivité entre les mains des meurtriers de son mari, elle avait été sans cesse torturée dans ses enfants que l'on retenait comme des sortes d'otages et qui n'étaient plus que les moyens d'intrigues politiques. Comment imaginer cette reine non seulement séparée de ses enfants mais encore obligée de devenir la maîtresse de Cromwell et en ayant un enfant ? Racine a donc dû, comme il le reconnaît dans sa *Première Préface*, adoucir les mœurs barbares de Pyrrhus et supposer

qu'il était incapable de « mettre Andromaque
dans son lit » si elle n'était pas sa femme :

« Mais véritablement mes personnages sont si
fameux dans l'antiquité, que pour peu qu'on la
connoisse, on verra fort bien que je les ai rendus
tels que les anciens poëtes nous les ont donnés.
Aussi n'ai-je pas pensé qu'il me fût permis de rien
changer à leurs mœurs. Toute la liberté que j'ai prise,
ç'a été d'adoucir un peu la férocité de Pyrrhus,
que Sénèque, dans sa *Troade*, et Virgile, dans le
second chant de l'*Enéide*, ont poussée beaucoup
plus loin que je n'ai cru le devoir faire.

Encore s'est-il trouvé des gens qui se sont plaints
qu'il s'emportât contre Andromaque, et qu'il
voulût épouser cette captive à quelque prix que
ce fût. J'avoue qu'il n'est pas assez résigné à la
volonté de sa maîtresse et que Céladon a mieux
connu que lui le parfait amour. Mais que faire ?,
Pyrrhus n'avoit pas lu nos romans. Il étoit violent
de son naturel. Et tous les héros ne sont pas faits
pour être des Céladons. » Malheureusement nous
trouvons aujourd'hui qu'il est encore beaucoup
trop Céladon. Il ne l'est pas ou pas plus qu'il ne le
faut, dans sa conduite, si l'on admet que c'est
pour lui une nécessité morale de ne coucher avec
Andromaque qu'en légitime mariage. Mais il l'est
abondamment dans ses propos. Relisons ses déclarations d'amour (I, 4). (J'imprime en italiques les
propos plus particulièrement précieux.)

Hé quoi ? votre courroux n'a-t-il pas eu son cours ?
Peut-on haïr sans cesse ? et punit-on toujours !
J'ai fait des malheureux, sans doute ; et la Phrygie
Cent fois de votre sang a vu ma main rougie.
Mais que vos yeux sur moi se sont bien exercés !
Qu'ils m'ont vendu bien cher les pleurs qu'ils ont
                                              [*versés !*
De combien de remords m'ont-ils rendu la proie !
Je souffre tous les maux que j'ai faits devant Troie.
Vaincu, chargé de fers, de regrets consumé.
Brûlé de plus de feux que je n'en allumai,
Tant de soins, tant de pleurs, tant d'ardeurs inquiètes..
Hélas ! fus-je jamais si cruel que vous l'êtes ?
Mais enfin, tour à tour, c'est assez nous punir :
Nos ennemis communs devroient nous réunir.
Madame, dites-moi seulement que j'espère,
Je vous rends votre fils, et je lui sers de père ;
Je l'instruirai moi-même à venger les Troyens ;
J'irai punir les Grecs de vos maux et des miens.
Animé d'un regard, je puis tout entreprendre :
Votre Ilion encor peut sortir de sa cendre ;
Je puis, en moins de temps que les Grecs ne l'ont pris,
Dans ses murs relevés couronner votre fils.

ANDROMAQUE

Seigneur, tant de grandeurs ne nous touchent plus
                                              [guère :
Je les lui promettois tant qu'à vécu son père.
Non, vous n'espérez plus de nous revoir encor,
Sacrés murs, que n'a pu conserver mon Hector.
A de moindres faveurs des malheureux prétendent,
Seigneur : c'est un exil que mes pleurs vous
                                      [demandent.
Souffrez que loin des Grecs, et même loin de vous,
J'aille cacher mon fils, et pleurer mon époux.

Votre amour contre nous allume trop de haine :
Retournez, retournez à la fille d'Hélène.

PYRRHUS

Et le puis-je, Madame? Ah! que vous me gênez !
Comment lui rendre un cœur que vous me retenez?
Je sais que de mes vœux on lui promit l'empire ;
Je sais que pour régner elle vint dans l'Epire :
Le sort vous y voulut l'une et l'autre amener :
Vous, pour porter des fers ; elle, pour en donner.
Cependant ai-je pris quelque soin de lui plaire ?
Et ne diroit-on pas, en voyant au contraire
Vos charmes tout-puissants, et les siens dédaignés,
Qu'elle est ici captive, et que vous y régnez ?
Ah! qu'un seul des soupirs que mon cœur vous envoie,
S'il s'échappoit vers elle, y porteroit de joie !

Oreste parle d'ailleurs à l'occasion dans le **même**
style que celui de Pyrrhus (II, 2).

HERMIONE

Le croirai-je, Seigneur, qu'un reste de tendresse
Vous fasse ici chercher une triste princesse ?
Ou ne dois-je imputer qu'à votre seul devoir
L'heureux empressement qui vous porte à me voir?

ORESTE

Tel est de mon amour l'aveuglement funeste.
Vous le savez, Madame ; et le destin d'Oreste
Est de venir sans cesse adorer vos attraits,
Et de jurer toujours qu'il n'y viendra jamais.
Je sais que vos regards vont rouvrir mes blessures,
Que tous mes pas vers vous sont autant de parjures :
Je le sais, j'en rougis. Mais j'atteste les Dieux,
Témoins de la fureur de mes derniers adieux,

Que j'ai couru partout où ma perte certaine
Dégageoit mes serments et finissoit ma peine.
J'ai mendié la mort chez des peuples cruels
Qui n'apaisoient leurs dieux que du sang des mor-
[tels :
Ils m'ont fermé leur temple ; et ces peuples barbares
De mon sang prodigué sont devenus avares.
Enfin je viens à vous, et je me vois réduit
A chercher dans vos yeux une mort qui me fuit.
Mon désespoir n'attend que leur indifférence :
Ils n'ont qu'à m'interdire un reste d'espérance,
Ils n'ont, pour avancer cette mort où je cours,
Qu'à me dire une fois ce qu'ils m'ont dit toujours.
Voilà, depuis un an, le seul soin qui m'anime.
Madame, c'est à vous de prendre une victime
Que les Scythes auroient dérobée à vos coups,
Si j'en avois trouvé d'aussi cruels que vous.

Les feux, les fers, les soins, les pleurs, les attraits,
les beaux yeux cruels, les métaphores et les métaphores superlatives sont le langage de centaines,
on pourrait presque dire de milliers de romans,
de pastorales, de tragi-comédies, de tragédies,
d'élégies, d'idylles, sonnets, madrigaux, écrits par
les « langoureux » et les « mourants » qui s'éver-
tuaient à « mourir par métaphore » :

Brûlé de plus de feux que je n'en allumai
. . . .
Madame, c'est à vous de prendre une victime
Que les Scythes auraient dérobée à vos coups
Si j'en avais trouvé d'aussi cruels que vous.

sont des propos d'amour qui auraient enchanté

Benserade, Voiture (le mauvais Voiture), l'abbé
Cotin, voire Mascarille ou Trissotin.

Il faut bien le reconnaître. Mais il faut reconnaître aussi l'excuse de Racine qui est d'avoir si
bien résisté, malgré tout, au goût précieux de son
temps. Pyrrhus et Oreste sont bien différents de
son Alexandre. S'ils madrigalisent, c'est par exception. J'ai déjà cité, dans ma première partie, des
exemples de cette obligation imposée aux amants
de n'aborder un « bel objet » qu'en tressant les
plus ingénieuses guirlandes des plus belles fleurs
de la rhétorique amoureuse. Rien ne serait plus
facile que de multiplier les exemples. Voici une
déclaration d'amour de Cyrus à Thomyris dans
la *Mort de Cyrus* de Quinault (1659) :

> Ah! malgré mon effroi, la peur de vous quitter
> Va contraindre à l'instant mon secret d'éclater,
> J'abuse trop longtemps de la grâce dernière
> Que j'obtiens aujourd'hui d'une Reine si fière :
> Et, si près du tombeau, je dois sans doute mieux
> Ménager des moments pour moi si précieux.
> Sachez donc que pour vous, belle et superbe Reine,
> Je n'ai rien dans le cœur qui ressemble à la haine,
> Que vous ne connaissez mon destin qu'à demi,
> Et que Cyrus pour vous n'est rien moins qu'ennemi.
> Oui, je cédai plutôt à vos yeux qu'à vos charmes
> Je ne pus vous haïr dès que je vis vos armes ;
> Et quand on sent la haine en secret se trahir,
> On vainc malaisément ce qu'on ne peut haïr.
> J'avais tout surmonté, mais personne n'ignore
> Que l'on se défend mal d'une main qu'on adore,

Et qu'il est mal aisé, tout vainqueur que l'on est,
De n'être pas vaincu d'un ennemi qui plaît.
En voyant vos beaux yeux, je prévis ma défaite,
Et crus par une crainte et soudaine et secrète,
Que mon cœur malheureux pour avoir trop vécu,
Cessant d'être invincible, allait être vaincu.
Mais qu'en ce triste état je me sus mal connaître !
J'étais déjà vaincu, quand je craignis de l'être !
Et m'offrant en secret au pouvoir qui m'abat,
Ma défaite dès lors précéda le combat.
J'eus beau me déguiser et beau faire le brave,
Avant que d'être pris, je fus longtemps esclave.
Mon âme fut trahie et vos fers inhumains
Passèrent dans mon cœur plutôt que dans mes
                                          [mains.

THOMYRIS

En feignant de m'aimer, pourriez-vous point pré-
                                          [tendre
De m'inspirer pour vous un sentiment plus tendre ?
Et vouloir, au plus fort de notre inimitié,
Par un déguisement mendier ma pitié ?

CYRUS

Feindre de vous aimer ? Non, quoi que j'aie à crain-
                                          [dre,
Je sais mourir encor mieux que je ne sais feindre ;
Et si je pouvais feindre aux portes du trépas,
Ce serait seulement de ne vous aimer pas.
Je paraîtrais plus fier, si j'étais moins sensible
Et croirais, en cessant pour vous d'être invincible,
Ne perdre qu'à demi ma gloire en ce revers,
Si je pouvais cacher la moitié de mes fers.
J'aurais sans doute encor quelque reste de gloire,
Si vous n'aviez sur moi qu'une seule victoire,

Et si vous n'étiez pas, par un droit effectif,
Deux fois victorieuse, et moi deux fois captif.
Je sais qu'à vos beaux yeux ma flamme découverte
Ne vous peut animer que pour hâter ma perte,
Et qu'ici ma tendresse, osant trop éclater,
Loin de vous adoucir sert à vous irriter.
Vous avez sous des traits, dont le charme est visible,
Une âme avec l'amour toujours incompatible.
Et je serais traité bien moins cruellement
Comme votre ennemi que comme votre amant.
Enfin vous êtes Scythe, et votre âme inhumaine
Hait naturellement et n'aime qu'avec peine.
Comme vous n'aimez rien, quoi qu'on trouve de doux,
Pour vous plaire il faudrait n'aimer rien comme vous.
Mais si je vous déplais par mon feu téméraire,
Je suis jusqu'à la mort certain de vous déplaire ;
Et s'il faut pour vous plaire éteindre un feu si grand,
Je sens que je ne puis vous plaire qu'en mourant.

THOMYRIS

Si pour vous quelque trouble en mon âme s'excite,
Votre tendresse au moins n'est pas ce qui m'irrite.
Le nom de Scythe en moi doit moins vous alarmer,
Les Scythes ont un cœur, et tout cœur peut aimer.

(*à part à Odatirse*)

Ah! que fais-je, Odatirse?

ODATIRSE

Un aveu plein de honte,

THOMYRIS

Ma fierté m'abandonne et l'amour me surmonte.

CYRUS

Quoi! votre cœur pour moi pourrait être adouci ?

THOMYRIS (*à Odatirse*)

Si vous aimez ma gloire, arrachez-moi d'ici ;
De tous mes sentiments ce Prince va s'instruire,
Et vous saurez de lui ce que je ne puis dire.

Corneille et les cornéliens empruntent d'ailleurs aux romans galants les mêmes gentillesses. Voici comment dans la *Mort d'Achille* (acte II, scène 5) de Thomas Corneille (1673), Achille avouera sa passion pour la Troyenne captive, Polixène.

Sitôt que je commence à revoir Polixène,
Mon cœur, qu'ont asservi des charmes si puissants,
Se range tout à coup du parti de mes sens ;
Et contre ses assauts mon courage inutile
Ne trouve plus en moi ce fier, ce fort Achille
Qui, du sort des Troyens, arbitre glorieux,
Maîtrisait la fortune et tenait tête aux Dieux.
Cédons, puisqu'il le faut : je suis lâche, infidèle,
Mais pour y renoncer, Polixène est trop belle.
Si je ne la puis voir favorable à mes vœux,
Au moins j'empêcherai qu'un autre soit heureux,
Et peut-être l'hymen en qui ma flamme espère,
Lui fera de l'amour un devoir nécessaire.
Allons trouver Priam, et, sans plus balancer,
Demandons un accord où je puis le forcer.

Rappelons enfin la curieuse contradiction que nous avons déjà signalée. Racine n'éprouve aucune gêne à altérer la légende homérique quand il s'agit de substituer aux mœurs barbares celles d'une cour d'« honnêtes gens ». Mais il est fort scrupuleux quand il s'agit de l'exactitude des faits (les faits légendaires ayant pour lui comme pour ses contemporains la même valeur que les faits historiques).

« Il est vrai que j'ai été obligé de faire vivre Astyanax un peu plus qu'il n'a vécu ; mais j'écris dans un pays où cette liberté ne pouvoit être mal reçue. Car, sans parler de Ronsard, qui a choisi ce même Astyanax pour le héros de sa *Franciade*, qui ne sait que l'on fait descendre nos anciens rois de ce fils d'Hector, et que nos vieilles chroniques sauvent la vie à ce jeune prince, après la désolation de son pays, pour en faire le fondateur de notre monarchie ?

« Combien Euripide a-t-il été plus hardi dans sa tragédie d'*Hélène* ! Il y choque ouvertement la créance commune de toute la Grèce. Il suppose qu'Hélène n'a jamais mis le pied dans Troie ; et qu'après l'embrasement de cette ville, Ménélas trouve sa femme en Egypte, dont elle n'était point partie. Tout cela fondé sur une opinion qui n'étoit reçue que parmi les Égyptiens, comme on peut le voir dans Hérodote.

« Je ne crois pas que j'eusse besoin de cet exemple d'Euripide pour justifier le peu de liberté que j'ai prise. Car il y a bien de la différence entre détruire le principal fondement d'une fable, et en altérer quelques incidents, qui changent presque de face dans toutes les mains qui les traitent. Ainsi Achille, selon la plupart des poètes, ne peut être blessé qu'au talon, quoique Homère le fasse blesser au

bras et ne le croie invulnérable en aucune partie
de son corps. Ainsi Sophocle fait mourir Jocaste
aussitôt après la reconnaissance d'Œdipe, tout au
contraire d'Euripide, qui la fait vivre jusqu'au
combat et à la mort de ses deux fils. Et c'est à
propos de quelque contrariété de cette nature qu'un
ancien commentateur de Sophocle le remarque
fort bien, « qu'il ne faut point s'amuser à chicaner
« les poètes pour quelques changements qu'ils
« ont pu faire dans la fable , mais qu'il faut s'atta-
« cher à considérer l'excellent usage qu'ils ont fait
« de ces changements, et la manière ingénieuse dont
« ils ont su accommoder la fable à leur sujet ».

Il en sera de même pour *Britannicus* où, dans
sa *Première* et dans sa *Seconde préface*, Racine
prendra soin de réfuter, Tacite ou Sénèque en main,
les reproches qu'on lui a faits d'avoir altéré les
faits de l'histoire ; pour *Bajazet* où il énumère les
témoignages qui font du sujet de sa tragédie une
histoire vraie ; pour *Mithridate* où il allègue Florus,
Plutarque, Dion Cassius et Appien d'Alexandrie ;
pour *Iphigénie* où interviennent Euripide, Ovide,
Stésichorus, Pausanias, Homère, Euphorion de
Chalcide ; pour *Phèdre* où il s'appuie non seulement
sur Euripide, mais encore sur Virgile, Plutarque
et sur « quelques auteurs ». Sans doute le public
se souciait-il fort peu de ces éruditions ; et il est
possible que Racine en ait senti lui-même la vanité.
Mais il y avait les « doctes » et si on les tenait

volontiers pour des pédants on était tout de même
disposé à les embrasser, même dans les salons,
pour l'amour de Stesichorus ou d'Euphorion de
Chalcide. Racine n'a pas pu prouver qu'il avait
ce sens de l'histoire que personne ne possédait de
son temps. Il a tenu à démontrer qu'il savait
l'histoire, et mieux que ceux qui le critiquaient.

CHAPITRE V

La peinture des caractères et des passions.

1° *La doctrine*

Racine a réfléchi méthodiquement aux règles qui doivent guider l'auteur dramatique dans la peinture des caractères et des passions comme il a médité sur celles du sujet et de l'action. L'une des règles essentielles est que les caractères doivent être d'accord avec eux-mêmes. On ne peut pas nous présenter un personnage timide et irrésolu qui devient, en vingt-quatre heures, sûr de lui-même et décisionnaire ; ni un orgueilleux qui devient modeste. A moins que l'on n'explique ce changement par de fortes raisons et qu'il soit même le sujet de la pièce. La règle va de soi. Racine ne l'a pas discutée et l'a naturellement suivie. Par contre, une autre règle, qui vient, comme les autres d'Aristote, a été l'objet d'infatigables commentaires. Il faut qu'un personnage principal ne soit ni tout bon, ni tout méchant. Est-ce bien certain, pourrions-nous dire ? Il faudrait tout d'abord définir la bonté. Pour Corneille et pour les cornéliens on peut être un héros si l'on applique une énergie sans défaillance à un « grand intérêt » qui nous apparaîtrait aujourd'hui sans valeur morale ou

même comme immoral. Il faudrait aussi définir
la méchanceté, la faute ou le vice qui s'oppose à
l'héroïsme. Pour Corneille et les cornéliens, l'amour
est une « faiblesse » et l'on risque de n'être plus
tout héros quand on aime. Si bien que les pièces
cornéliennes nous présentent couramment des
personnages qui sont tout d'une pièce, qui sont ce
qu'ils sont sans qu'il y ait un combat intérieur entre
la bonté et la méchanceté, entre l'énergie digne
d'admiration et la défaillance qui fait hésiter
l'admiration. La Cléopâtre de *Rodogune* est toute
méchante. L'Attila d'*Attila* est tout méchant à
moins que l'on admette (ce qui n'était pas assurément l'avis de Corneille) que son amour pour
Ildione est une bonté qui adoucit pour nous sa
férocité. Il en est de même d'ailleurs pour les
auteurs tragiques qui préfèrent peindre les langueurs de l'amour. Timocrate est tout bon ; il n'a
que des vertus puisque, pour nos langoureux,
l'amour est la vertu suprême ; il est constamment
intelligent, brave, fidèle, dévoué jusqu'à la mort.
Le Cyrus de *la mort de Cyrus* de Quinault n'est ni
intelligent, ni brave puisqu'il renonce à son intelligence et à sa bravoure pour ne pas être séparé
de celle qu'il s'est mis brusquement à adorer ; mais
il est, d'un bout à l'autre, tout amour et tout
sacrifice. Le Théodat d'*Amalasonte* est aussi bien
le héros d'amour parfait.

Racine au contraire tient pour la règle d'Aristote : « Horace, dit-il dans sa première *Préface*, nous recommande de dépeindre Achille farouche, inexorable, violent, tel qu'il était, et tel qu'on dépeint son fils. Et Aristote, bien éloigné de nous demander des héros parfaits, veut au contraire que les personnages tragiques, c'est-à-dire ceux dont le malheur fait la catastrophe de la tragédie, ne soient ni tout à fait bons, ni tout à fait méchants. Il ne veut pas qu'ils soient extrêmement bons parce que la punition d'un homme de bien exciterait plutôt l'indignation que la pitié du spectateur ; ni qu'il soit méchant avec excès parce qu'on n'a point pitié d'un scélérat. Il faut donc qu'ils aient une bonté médiocre, c'est-à-dire une vertu capable de faiblesse et qu'ils tombent dans le malheur par quelque faute qui les fasse plaindre sans les faire détester ». Il rappelle la règle dans la première *Préface* de *Britannicus* : « Je leur ai déclaré dans la Préface d'*Andromaque* les sentiments d'Aristote sur le héros de la tragédie et que, bien loin d'être parfait, il faut toujours qu'il ait quelque imperfection ». Et il y revient dans la préface de *Phèdre* : « Je ne suis point étonné que ce caractère ait eu un succès si heureux du temps d'Euripide et qu'il ait encore si bien réussi dans notre siècle puisqu'il a toutes les qualités qu'Aristote demande dans le héros de la tragédie et qui sont propres à exciter la compassion et la terreur. En effet Phèdre n'est ni tout à fait coupable ni tout à fait innocente. Elle est engagée par sa destinée et par la colère des dieux dans une passion illégitime dont elle a horreur toute la première. Elle fait tous ses efforts pour la surmonter. Elle aime mieux se laisser mourir que de la déclarer à personne. Et lorsqu'elle est forcée de la découvrir elle en parle avec une confusion qui fait bien voir que son crime est plutôt une punition des dieux qu'un mouvement de sa volonté ».

La règle s'applique fort bien à *Andromaque*. Andromaque est « toute bonne » ; mais elle ne « fait point la catastrophe » puisqu'elle est sauvée ainsi que son fils. Mais Pyrrhus qui meurt est méchant puisqu'il use de la plus méchante contrainte pour obliger Andromaque à l'épouser ; il est bon puisqu'il est un chef héroïque, un grand roi et qu'on le sent capable d'être un excellent mari pour une Andromaque sinon aimante, du moins complaisante. Hermione serait une épouse peut-être un peu tempétueuse mais pleine d'admiration et de dévouement si Pyrrhus n'était pas infidèle. Oreste qui aurait pu être un héros, aurait toutes les qualités d'un héros s'il n'était pas poursuivi par la fatalité qui a mis en lui une passion désespérée. Ce n'est pourtant pas la connaissance d'Aristote et la docilité à suivre ses règles qui explique le génie de Racine dans la peinture des caractères et des passions. D'abord parce que cet Aristote qu'il brandit pour la confusion de ses adversaires pourrait par ailleurs servir à le condamner. On ne

voit pas comment Titus et Bérénice ne sont pas,
dans la pièce de Racine, tout bons (à moins que
leur amour ne soit une « faiblesse ») ; et pourtant
ils sont séparés pour traîner d'éternels regrets. On
ne voit pas davantage comment, dans *Bajazet*,
Bajazet et Atalide ne sont pas tout bons ; et cependant ils font bien la catastrophe puisqu'ils sont
massacrés aussi bien que la féroce Roxane. C'est
que, il faut le rappeler une fois de plus, Racine est
partagé entre son respect d'Aristote, l'amour du
grec, le goût de la science, le besoin de suivre des
principes et des règles et le sentiment que son génie
est tout autre chose que la connaissance de ces
règles et l'adresse à les appliquer. On a raison de
rappeler que, dans ces mêmes Préfaces, il a délibérément secoué leur joug : « La principale règle est
de plaire et de toucher, toutes les autres ne sont
faites que pour parvenir à cette première ». J'ai
essayé de montrer, par ailleurs [1], que sur ce point
il est soutenu par tout son siècle, qui est tout
entier, à part quelques doctes, à la fois respectueux
de règles qui ont mis fin aux extravagances, visions
cornues et débauches d'esprit des irréguliers et
convaincu qu'il y a un art « de plaire » qui n'a rien
à voir avec les règles, qui est un « je ne sais quoi ».

C'est ce *je ne sais quoi* qui est le génie de Racine.
Avant *Andromaque* les tragédies de ses prédéces-

---

1. Dans mon *Histoire de la littérature française classique*
(Paris, A. Colin).

seurs lui fournissent tout ce qu'on pourrait appeler
les matériaux des siennes : les grandes passions
d'amour violentes et déchaînées et qui enfantent
les grands crimes ; la curiosité psychologique qui
en note les remous et les contradictions ; même un
goût du naturel et de la vraisemblance qui dégage
peu à peu des sujets plus simples, qui renonce à
l'extraordinaire des faits pour s'en tenir à l'exceptionnel des âmes tragiques. Sans doute les goûts
et les modes imposent toujours de graves défauts :
la convention des règles d'amour, l'esclavage
chevaleresque de l'amant à l'égard de l'objet
aimé, le style volontairement alambiqué et tortueux, etc. Racine se libère en grande partie de
ces défauts. Mais s'il s'en était tenu là son génie
n'aurait été qu'un talent de contrôle et de mesure.
Il y a autre chose dans *Andromaque* ; et s'il n'est
pas facile d'en analyser le secret, il est aisé d'en
apercevoir le principe.

Racine a la faculté de dédoublement, le don
génial de vivre la vie de ses personnages comme
s'il était eux. Un Thomas Corneille, un Quinault
ne sont que des artisans adroits. Ils se proposent
d'écrire une tragédie qui sera ou une tragédie
héroïque ou une tragédie langoureuse ou un
mélange habile d'héroïsme et de langueur. Ils
savent qu'il y faut manier de grands intérêts et
y faire preuve de talents d'homme d'état ou de
diplomates, qu'il faut y mettre, comme dit Corneille

de son *Othon,* avec des énergies farouches, « de la
justesse dans la conduite » et du « bon sens dans
le raisonnement » ; ou bien qu'il y faut faire preuve
de « délicatesse », montrer que l'on connaît les
tours et détours des cœurs possédés et égarés par
la passion d'amour. Les romans, les questions
d'amour, les tragédies déjà écrites leur fournissent
tout un répertoire de ces cas où se trouvent engagés
les âmes et qui susciteront, avec la terreur et la
pitié, cette curiosité dont les théoriciens et com-
mentateurs d'Aristote ne parlent pas mais qui
joue un rôle tout aussi considérable dans le théâtre
du XVIIᵉ siècle. Ils réfléchissent donc, choisissent,
ajustent. Mais il est facile de comprendre qu'on
ne peut construire ainsi que des marionnettes. C'est
ainsi que procède Racine lui-même dans la
Thébaïde ou dans *Alexandre.* Il réfléchit, décide
d'écrire une tragédie de grands intérêts, de caractères féroces et obstinés et de pitoyables victimes de
leur férocité. Et il tire les ficelles des marionnettes
qui ont toujours le poing dressé ou les bras levés
en lamentations. Ou bien il décide d'essayer la
tragédie qui sera galante en gardant le haut goût
de l'héroïsme. Alexandre sera donc tout galant
et ne voudra plus conquérir l'univers que pour
le mettre aux pieds de sa maîtresse. Porus et
Axiane seront des âmes impavides qui préféreront
la mort à la défaite et à la vassalité. De ces marionnettes de Racine il ne resterait rien. Elles ne nous

intéressent plus que par leur contraste avec les
êtres qui vivent dans *Andromaque*.

Ils ne vivent que parce que Racine a vécu avec
eux, comme s'il était eux. C'est le propre des grands
créateurs d'êtres de fiction de pouvoir mener ainsi
la vie de personnages les plus divers, les plus
contraires et qui sont au besoin le contraire d'eux-
mêmes. Molière n'est ni un Harpagon, ni un Alceste
ni un Tartufe, ni même, quoi qu'on en ait dit, un
Arnolphe. Il écrit l'histoire d'Harpagon, d'Alceste,
de Tartufe et d'Arnolphe comme si c'était sa
propre histoire. Balzac est tout le contraire d'un
Grandet ou d'un père Goriot. Mais quand il les
met en scène il devient pour un temps un avare
ou un père martyr et stupide. Il est facile de comprendre comment, par ce dédoublement, les marionnettes deviennent des êtres vivants. La vie, c'est
la continuité et la liaison ; c'est cette mystérieuse
unité qui, quelque absurdement contradictoires
qu'elles paraissent, lie entre eux les gestes et les
pensées d'un même être. Chez un Thomas Corneille
(ou chez le mauvais Corneille), chez Quinault, chez
le Racine de la *Thébaïde* et d'*Alexandre* cette unité
n'existe presque jamais. Nous montrerons par quelques exemples comment on voit les articulations, les
chevilles, les ficelles. Montrons maintenant comment dans les personnages d'*Andromaque* tout apparaît, s'enchaîne, se change avec la vérité c'est-à-
dire avec la continuité et la souplesse de la vie.

CHAPITRE VI

LA PEINTURE DES CARACTÈRES ET DES PASSIONS.

2º *Pyrrhus.* — *Oreste.*

Oreste, au début de l'acte I nous a fait connaître la situation. Il est venu, comme ambassadeur des Grecs réclamer à Pyrrhus le fils d'Hector, Astyanax, dont on craint qu'il ne venge un jour son père. Pyrrhus consentira-t-il ? On sait qu'il dédaigne Hermione qui est venue à sa cour pour l'épouser et qu'il aime Andromaque. Dès la première entrevue avec Oreste Pyrrhus refuse :

> La Grèce en ma faveur s'est trop inquiétée.
> De soins plus importants je l'ai crue agitée,
> Seigneur ; et sur le nom de son ambassadeur,
> J'avois dans ses projets conçu plus de grandeur.
> Qui croiroit en effet qu'une telle entreprise
> Du fils d'Agamemnon méritât l'entremise ;
> Qu'un peuple tout entier, tant de fois triomphant,
> N'eût daigné conspirer que la mort d'un enfant ?
> Mais à qui prétend-on que je le sacrifie ?
> La Grèce a-t-elle encor quelque droit sur sa vie ?
> Et seul de tous les Grecs ne m'est-il pas permis
> D'ordonner d'un captif que le sort m'a soumis ?
> Oui, Seigneur, lorsqu'au pied des murs fumants de
> [Troie
> Les vainqueurs tout sanglants partagèrent leur
> [proie

Le sort, dont les arrêts furent alors suivis,
Fit tomber en mes mains Andromaque et son fils.
Hécube près d'Ulysse acheva sa misère ;
Cassandre dans Argos a suivi votre père ;
Sur eux, sur leurs captifs ai-je étendu mes droits ?
Ai-je enfin disposé du fruit de leurs exploits ?
On craint qu'avec Hector Troie un jour ne renaisse ;
Son fils peut me ravir le jour que je lui laisse.
Seigneur, tant de prudence entraîne trop de soin :
Je ne sais point prévoir les malheurs de si loin.
Je songe quelle étoit autrefois cette ville,
Si superbe en remparts, en héros si fertile,
Maîtresse de l'Asie ; et je regarde enfin
Quel fut le sort de Troie, et quel est son destin.
Je ne vois que des tours que la cendre a couvertes,
Un fleuve teint de sang, des campagnes désertes,
Un enfant dans les fers ; et je ne puis songer
Que Troie en cet état aspire à se venger.
Ah ! si du fils d'Hector la perte étoit jurée,
Pourquoi d'un an entier l'avons-nous différée ?
Dans le sein de Priam n'a-t-on pu l'immoler ?
Sous tant de morts, sous Troie il falloit l'accabler.
Tout étoit juste alors : la vieillesse et l'enfance
En vain sur leur foiblesse appuyoient leur défense ;
La victoire et la nuit, plus cruelles que nous,
Nous excitoient au meurtre et confondoient nos coups.
Mon courroux aux vaincus ne fut que trop sévère.
Mais que ma cruauté survive à ma colère ?
Que malgré la pitié dont je me sens saisir,
Dans le sang d'un enfant je me baigne à loisir ?
Non, Seigneur. Que les Grecs cherchent quelque
                                        [autre proie ;
Qu'ils poursuivent ailleurs ce qui reste de Troie :
De mes inimitiés le cours est achevé ;
L'Épire sauvera ce que Troie a sauvé.

Remarquons d'abord que ce discours est fort bien composé.

1er argument, qui exprime à la fois une ironie dédaigneuse et ce qu'il y a de sensible et pitoyable dans l'âme de Pyrrhus : la Grèce glorieuse s'est assemblée pour décider de quoi ? de la mort d'un enfant ! 2e argument, qui est celui de l'orgueil. De quel droit donner des ordres à Pyrrhus qui peut seul décider du sort de sa captive comme les autres chefs grecs ont décidé du sort d'Hécube et de Cassandre. 3e argument, qui est celui de la raison : les craintes des Grecs sont absurdes. Rien ne peut faire renaître Troie de ses cendres. 4e argument, qui est celui du cœur et de la sensibilité : l'ivresse sanglante de la victoire et de la vengeance excuse les cruautés du sac de Troie. Mais comment, de sang-froid, consentir à la mort d'un enfant innocent. 5e Conclusion et refus. C'est un des caractères constants des longs discours de la tragédie classique que de distinguer et d'ordonner les idées comme s'il s'agissait d'un orateur qui ait tout le loisir et tout le sang-froid nécessaires pour réfléchir à l'invention et à la disposition de ses idées. Même si celui ou celle qui parle se trouve brusquement devant une situation qui doit l'affoler et qui l'affole il trouve, choisit et ordonne comme s'il avait du temps et de la présence d'exprit. Ici, ce n'est pas le cas. Pyrrhus a pu réfléchir méthodiquement, à ce qu'il allait répondre à Oreste.

Pourtant si cette réponse est celle d'un bon orateur
elle n'est pas celle de n'importe quel orateur. Elle
trahit déjà la complexité du caractère de Pyrrhus ;
et elle la trahit par des nuances. Ce n'est pas un
barbare sauvage ; ce n'est pas le chef sanglant qui
a présidé au massacre de vieillards, de femmes,
d'enfants. Ce n'est pas une Athalie qui s'étonne,
pour une fois, d'être sensible à la pitié. Il n'est pas
douteux qu'il a pitié d'Astyanax. Mais en même
temps, c'est le chef hautain, le prince jaloux de
ses droits et de sa dignité qui se révolte dès qu'on
lui donne ou semble lui donner des ordres. Et c'est
un homme raisonnable qui met sa raison à ne pas
partager les craintes déraisonnables de la Grèce.
Cette complexité est jusque là faite de nuances qui
n'altèrent pas l'unité du caractère. Le point de
rupture nous est d'abord indiqué. Pyrrhus aime
Andromaque. Mais cet amour est gêné par la
présence d'Hermione qu'il trahit ! Oreste est
cousin germain d'Hermione. Qu'il aille voir sa
parente ! Et s'il l'aime toujours comme on dit
qu'il l'aimait, tant mieux. Qu'il en débarrasse
Pyrrhus ! Tout de suite d'ailleurs la rupture de
caractère va éclater dans la grande scène (I, 4)
qu'il faut citer tout entière.

PYRRHUS

Me cherchiez-vous, Madame ?
Un espoir si charmant me serait-il permis ?

ANDROMAQUE

Je passois jusqu'aux lieux où l'on garde mon fils.
Puisqu'une fois le jour vous souffrez que je voie
Le seul bien qui me reste et d'Hector et de Troie.
J'allois, Seigneur, pleurer un moment avec lui :
Je ne l'ai point encore embrassé d'aujourd'hui.

PYRRHUS

Ah ! Madame, les Grecs, si j'en crois leurs alarmes,
Vous donneront bientôt d'autres sujets de larmes.

ANDROMAQUE

Et quelle est cette peur dont leur cœur est frappé,
Seigneur ? Quelque Troyen vous est-il échappé ?

PYRRHUS

Leur haine pour Hector n'est pas encore éteinte.
Ils redoutent son fils.

ANDROMAQUE

            Digne objet de leur crainte !
Un enfant malheureux, qui ne sait pas encor
Que Pyrrhus est son maître, et qu'il est fils d'Hector.

PYRRHUS

Tel qu'il est, tous les Grecs demandent qu'il périsse.
Le fils d'Agamemnon vient hâter son supplice.

ANDROMAQUE

Et vous prononcerez un arrêt si cruel ?
Est-ce mon intérêt qui le rend criminel ?
Hélas ! on ne craint point qu'il venge un jour son père;
On craint qu'il n'essuyât les larmes de sa mère.
Il m'auroit tenu lieu d'un père et d'un époux ;
Mais il me faut tout perdre, et toujours par vos coups.

PYRRHUS

Madame, mes refus ont prévenu vos larmes,
Tous les Grecs m'ont déjà menacé de leurs armes ;
Mais dussent-ils encore, en repassant les eaux,
Demander votre fils avec mille vaisseaux ;
Coutât-il tout le sang qu'Hélène a fait répandre ;
Dussé-je après dix ans voir mon palais en cendre,
Je ne balance point, je vole à son secours :
Je défendrai sa vie aux dépens de mes jours.
Mais parmi ces périls où je cours pour vous plaire
Me refuserez-vous un regard moins sévère ?
Haï de tous les Grecs, pressé de tous côtés,
Me faudra-t-il combattre encor vos cruautés ?
Je vous offre mon bras. Puis-je espérer encore
Que vous accepterez un cœur qui vous adore ?
En combattant pour vous, me sera-t-il permis
De ne vous point compter parmi mes ennemis ?

ANDROMAQUE

Seigneur, que faites-vous, et que dira la Grèce ?
Faut-il qu'un si grand cœur montre tant de foi-
                                    [blesse
Voulez-vous qu'un dessein si beau, si généreux
Passe pour le transport d'un esprit amoureux ?
Captive, toujours triste, importune à moi-même,
Pouvez-vous souhaiter qu'Andromaque vous aime ?
Quels charmes ont pour vous des yeux infortunés
Qu'à des pleurs éternels vous avez condamnés ?
Non, non, d'un ennemi respecter la misère,
Sauver des malheureux, rendre un fils à sa mère,
De cent peuples pour lui combattre la rigueur,
Sans me faire payer son salut de mon cœur,
Malgré moi, s'il le faut, lui donner un asile :
Seigneur, voilà des soins dignes du fils d'Achille.

PYRRHUS.

Hé quoi ? votre courroux n'a-t-il pas eu son cours ?
Peut-on haïr sans cesse ? et punit-on toujours ?
J'ai fait des malheureux, sans doute ; et la Phrygie
Cent fois de votre sang a vu ma main rougie.
Mais que vos yeux sur moi se sont bien exercés !
Qu'ils m'ont vendu bien chers les pleurs qu'ils ont
                                        [versés !
De combien de remords m'ont-ils rendu la proie !
Je souffre tous les maux que j'ai faits devant Troie.
Vaincu, chargé de fers, de regrets consumé,
Brûlé de plus de feux que je n'en allumai,
Tant de soins, tant de pleurs, tant d'ardeurs inquiè-
Hélas ! fus-je jamais si cruel que vous l'êtes ?   [tes...
Mais enfin, tour à tour, c'est assez nous punir :
Nos ennemis communs devroient nous réunir.
Madame, dites-moi seulement que j'espère,
Je vous rends votre fils, et je lui sers de père ;
Je l'instruirai moi-même à venger les Troyens ;
J'irai punir les Grecs de vos maux et des miens.
Animé d'un regard, je puis tout entreprendre :
Votre Ilion encor peut sortir de sa cendre ;
Je puis, en moins de temps que les Grecs ne l'ont pris,
Dans ses murs relevés couronner votre fils.

ANDROMAQUE.

Seigneur, tant de grandeurs ne me touchent plus
                                        [guère :
Je les lui promettois tant qu'a vécu son père.
Non, vous n'espérez plus de nous revoir encor,
Sacrés murs, que n'a pu conserver mon Hector.
A de moindres faveurs des malheureux prétendent,
Seigneur : c'est un exil que mes pleurs vous deman-
                                        [dent.

Souffrez que loin des Grecs, et même loin de vous,
J'aille cacher mon fils, et pleurer mon époux.
Votre amour contre nous allume trop de haine :
Retournez, retournez à la fille d'Hélène.

PYRRHUS

Et le puis-je, Madame ? Ah ! que vous me gênez !
Comment lui rendre un cœur que vous me retenez ?
Je sais que de mes vœux on lui promit l'empire ;
Je sais que pour régner elle vint dans l'Épire ;
Le sort vous y voulut l'une et l'autre amener :
Vous, pour porter des fers ; elle, pour en donner.
Cependant ai-je pris quelque soin de lui plaire ?
Et ne diroit-on pas, en voyant au contraire
Vos charmes tout-puissants, et les siens dédaignés,
Qu'elle est ici captive, et que vous y régnez ?
Ah ! qu'un seul des soupirs que mon cœur vous envoie,
S'il s'échappoit vers elle, y porteroit de joie !

ANDROMAQUE

Et pourquoi vos soupirs seroient-ils repoussés ?
Auroit-elle oublié vos services passés ?
Troie, Hector, contre vous révoltent-ils son âme ?
Aux cendres d'un époux doit-elle enfin sa flamme ?
Et quel époux encore ! Ah ! souvenir cruel !
Sa mort seule a rendu votre père immortel.
Il doit au sang d'Hector tout l'éclat de ses armes,
Et vous n'êtes tous deux connus que par mes larmes.

PYRRHUS

Hé bien, Madame, hé bien, il faut vous obéir :
Il faut vous oublier, ou plutôt vous haïr.
Oui, mes vœux ont poussé trop loin leur violence
Pour ne plus s'arrêter que dans l'indifférence.

Songez-y bien : il faut désormais que mon cœur,
S'il n'aime avec transport, haïsse avec fureur.
Je n'épargneroi rien dans ma juste colère :
Le fils me répondra des mépris de la mère ;
La Grèce le demande, et je ne prétends pas
Mettre toujours ma gloire à sauver des ingrats.

ANDROMAQUE

Hélas ! il mourra donc. Il n'a pour sa défense
Que les pleurs de sa mère, et que son innocence.
Et peut-être après tout, en l'état où je suis,
Sa mort avancera la fin de mes ennuis.
Je prolongeois pour lui ma vie et ma misère ;
Mais enfin sur ses pas j'irai revoir son père.
Ainsi tous trois, Seigneur, par vos soins réunis,
Nous vous...

PYRRHUS

      Allez, Madame, allez voir votre fils.
Peut-être, en le voyant, votre amour plus timide
Ne prendra pas toujours sa colère pour guide.
Pour savoir nos destins, j'irai vous retrouver.
Madame, en l'embrassant, songez à le sauver.

Nous ne répèterons pas ce que nous avons déjà
dit de Pyrrhus langoureux galant. Cette galanterie
nous gêne aujourd'hui fâcheusement. D'autant
plus qu'elle n'apparaît pas seulement dans les
passages que nous avons précédemment cités. Dès
le début de l'entretien, en échange de sa passion,
d'un dévouement qui lui fera risquer son empire
et sa vie, Pyrrhus, comme tous les soupirants
fidèles au code de l'amour, ne demande même pas
qu'on lui dise qu'on l'aime, qu'on prononce ce mot

« qui coûte tant de peine » ; il espère seulement
« un regard moins sévère », le témoignage qu'Andromaque ne le compte pas « parmi ses ennemis ».
Mais, malgré ces conventions, que de vérité nuancée dans ce que dit Pyrrhus. La passion se
déchaîne d'abord, aveugle. Pour Andromaque et
pour son fils il est prêt à affronter une nouvelle
guerre de Troie, à voir après dix ans son palais
en cendres ; il instruira, lui qui est fils d'Achille et
l'un des rois grecs qui ont anéanti Troie, le fils
d'Hector, Astyanax, à venger les Troyens. Pour
elle il dédaigne Hermione et son amour. Mais
Andromaque, qui s'est jusque-là enfermée dans le
souvenir de son mari et l'amour de son fils, n'a
encore aucune expérience de la diplomatie sentimentale. Elle ne sait que parler d'Hector, de la
mort d'Hector, du père de Pyrrhus qui a tué Hector.
Jusque-là Pyrrhus a pris patience. Il a donné dans
l'excès de l'amour et de la soumission. Mais il est
violent, impulsif. Il faut, il est naturel qu'il passe
brusquement d'un excès à l'autre :

> il faut désormais que mon cœur
> S'il n'aime avec transport haïsse avec fureur.

Il faut que, dans cette fureur, il rompe l'entretien
et le termine par un ultimatum. Remarquons enfin
que Pyrrhus ne se sert pas de ce mot solennel
ou de rien qui soit solennel. Le génie de Racine
est, très souvent, d'exprimer les situations les plus

tragiques, les plus chargées d'angoisse par les mots les plus simples (Nous y reviendrons en parlant de son style).

Encore, dans cette scène, la complexité du caractère de Pyrrhus est-elle relativement simple : une demande suivie de réponses qui sont des refus ; une persistance déférente et patiente derrière laquelle grandit une irritation d'abord sourde et qui enfin éclate en colère et en menaces. La confusion intérieure est plus grande encore dans la scène 5 de l'acte II. Pyrrhus a vu Andromaque qui n'a pu que se lamenter et invoquer désespérément le nom d'Hector. Dès lors sa décision est prise, celle qui est conforme à la raison, à sa raison. « Un peu de violence, dit-il à Oreste

> M'a fait de vos raisons combattre la puissance,
> Je l'avoue ; et depuis que je vous ai quitté,
> J'en ai senti la force et connu l'équité.

Mais que sont la raison et l'équité quand il s'agit de l'amour-passion. Nous allons nous en apercevoir :

> Hé bien, Phœnix, l'amour est-il le maître ?
> Tes yeux refusent-ils encor de me connaître ?

PHŒNIX

> Ah ! je vous reconnois ; et ce juste courroux,
> Ainsi qu'à tous les Grecs, Seigneur, vous rend à vous
> Ce n'est plus le jouet d'une flamme servile :
> C'est Pyrrhus, c'est le fils et le rival d'Achille,

Que la gloire à la fin ramène sous ses lois,
Qui triomphe de Troie une seconde fois.

PYRRHUS

Dis plutôt qu'aujourd'hui commence ma victoire.
D'aujourd'hui seulement je jouis de ma gloire ;
Et mon cœur, aussi fier que tu l'as vu soumis,
Croit avoir en l'amour vaincu mille ennemis.
Considère, Phœnix, les troubles que j'évite,
Quelle foule de maux l'amour traîne à sa suite,
Que d'amis, de devoirs, j'allois sacrifier,
Quels périls... Un regard m'eût tout fait oublier.
Tous les Grecs conjurés fondoient sur un rebelle.
Je trouvois du plaisir à me perdre pour elle.

PHŒNIX

Oui, je bénis, Seigneur, l'heureuse cruauté
Qui vous rend....

PYRRHUS

        Tu l'as vu, comme elle m'a traité.
Je pensois, en voyant sa tendresse alarmée,
Que son fils me la dût renvoyer désarmée.
J'allois voir le succès de ses embrassements :
Je n'ai trouvé que pleurs mêlés d'emportements.
Sa misère l'aigrit ; et toujours plus farouche,
Cent fois le nom d'Hector est sorti de sa bouche.
Vainement à son fils j'assurois mon secours :
« C'est Hector, disoit-elle, en l'embrassant tou-
                                    [jours ;
Voilà ses yeux, sa bouche et déjà son audace ;
C'est lui-même, c'est toi, cher époux, que j'em-
                                    [brasse. »
Et quelle est sa pensée ? Attend-elle en ce jour
Que je lui laisse un fils pour nourrir son amour ?

PHŒNIX

Sans doute. C'est le prix que vous gardoit l'ingrate.
Mais, laissez-la, Seigneur.

PYRRHUS

        Je vois ce qui la flatte.
Sa beauté la rassure ; et malgré mon courroux,
L'orgueilleuse m'attend encore à ses genoux.
Je la verrois aux miens, Phœnix, d'un œil tranquille.
Elle est veuve d'Hector, et je suis fils d'Achille :
Trop de haine sépare Andromaque et Pyrrhus.

PYRRHUS

Commencez donc, Seigneur, à ne m'en parler plus.
Allez voir Hermione ; et content de lui plaire,
Oubliez à ses pieds jusqu'à votre colère.
Vous-même à cet hymen venez la disposer.
Est-ce sur un rival qu'il s'en faut reposer ?
Il ne l'aime que trop.

PYRRHUS

       Crois-tu, si je l'épouse,
Qu'Andromaque en son cœur n'en sera pas jalouse ?

PHŒNIX

Quoi ? toujours Andromaque occupe votre esprit ?
Que vous importe, ô Dieux ! sa joie ou son dépit ?
Quel charme, malgré vous, vers elle vous attire ?

PYRRHUS

Non, je n'ai pas bien dit tout ce qu'il faut lui dire :
Ma colère à ses yeux n'a paru qu'à demi;
Elle ignore à quel point je suis son ennemi.
Retournons-y. Je veux la braver à sa vue,
Et donner à ma haine une libre étendue.

Viens voir tous ses attraits, Phœnix, humiliés.
Allons.

PHŒNIX

Allez, Seigneur, vous jeter à ses pieds.
Allez, en lui jurant que votre âme l'adore,
A de nouveaux mépris l'encourager encore.

PYRRHUS

Je le vois bien, tu crois que prêt à l'excuser
Mon cœur court après elle, et cherche à s'apaiser.

PHŒNIX

Vous aimez : c'est assez.

PYRRHUS

Moi l'aimer ? une ingrate
Qui me hait d'autant plus que mon amour la flatte ?
Sans parents, sans amis, sans espoir que sur moi,
Je puis perdre son fils ; peut-être je le doi.
Étrangère... que dis-je ? esclave dans l'Épire,
Je lui donne son fils, mon âme, mon empire ;
Et je ne puis gagner dans son perfide cœur
D'autre rang que celui de son persécuteur ?
Non, non, je l'ai juré, ma vengeance est certaine :
Il faut bien une fois justifier sa haine.
J'abandonne son fils. Que de pleurs vont couler !
De quel nom sa douleur me va-t-elle appeler !
Quel spectacle pour elle aujourd'hui se dispose !
Elle en mourra, Phœnix, et j'en serai la cause.
C'est lui mettre moi-même un poignard dans le sein.

PHŒNIX

Et pourquoi donc en faire éclater le dessein ?
Que ne consultiez-vous tantôt votre foiblesse ?

PYRRHUS

Je t'entends. Mais excuse un reste de tendresse.
Crains-tu pour ma colère un si foible combat ?
D'un amour qui s'éteint c'est le dernier éclat.
Allons. A tes conseils, Phœnix, je m'abandonne.
Faut-il livrer son fils ? faut-il voir Hermione ?

PHŒNIX

Oui, voyez-là, Seigneur, et par des vœux soumis
Protestez-lui....

PYRRHUS

Faisons tout ce que j'ai promis.

C'est d'abord le sentiment de la « victoire » sur
lui-même ; la satisfaction de retrouver sa « gloire »,
cette gloire si chère aux héros cornéliens. Mais cette
satisfaction est dans les mots non dans le cœur.
L'amour est aussi fort que mille ennemis ; et un
contre mille c'est peu. Et puis il a été si près de sa
défaite : «Un regard m'eût tout fait oublier».
Pour ne pas tout oublier il faut faire appel aux
images intérieures qui ressuscitent la colère : les
« emportements » d'Andromaque qui ne sait qu'invoquer Hector, le rival mort, plus puissant que
s'il était vivant, puisqu'il lui échappe. A elles
toutes, ces images sont incapables de chasser
l'amour. Il y faut autre chose : la vanité blessée.
Andromaque sans doute se joue de lui , elle se
croit sûre de lui et d'elle. Pyrrhus est-il fait pour
ce rôle d'esclave ? Assurément non. Mais est-il

bien sûr qu'Andromaque se joue ? N'a-t-elle pas
au fond du cœur quelque penchant inconscient
qui la rendra jalouse si un si noble amant épouse
Hermione ? L'espoir est sans doute chimérique.
Ne songeons plus qu'à la vengeance ; et pour mieux
nous venger, revoyons-la, humilions-la ! « Vous
vous dupez vous-même, rétorque Phœnix, qui
n'est que la conscience raisonnable de Pyrrhus,
vous voulez la revoir parce que vous l'aimez toujours ». Pyrrhus se révolte, contre cette passion
aussi obstinée qu'impuissante : « Je l'ai juré, ma
vengeance est certaine. » Mais ce qui est non moins
certain c'est que cette vengeance tuera celle qu'il
adore toujours. Il ne reste qu'à se précipiter en
aveugle dans une décision à laquelle on ne veut
plus réfléchir :

Faisons tout ce que j'ai promis.

Quelle différence entre ce tumulte de sentiments
qui sont, quand il s'agit d'un Pyrrhus, la vérité
humaine et l'assurance impavide d'un Cyrus dans
la Mort de Cyrus de Quinault, de Théodat dans
son Amalasonte. Ils ne savent qu'une chose c'est
qu'ils aiment, qu'ils continueront d'aimer et que
ni le plus extrême péril, ni la plus extrême injustice ne troubleront cette certitude. Ils semblent
adopter, pour tout principe de conduite, le mot
de la Médée de Corneille : « Mon amour seul et
c'est assez ! » Quelle différence même avec l'Attila

de Corneille qui est pourtant un moins ridicule
mannequin mais dont la psychologie reste simpliste
et conventionnelle (III, 1) :

ATTILA

J'y fais ce que je puis, et ma gloire m'en prie ;
Mais d'ailleurs Ildione a pour moi tant d'attraits,
Que mon cœur étonné flotte plus que jamais.
Je sens combattre encor dans ce cœur qui soupire
Les droits de la beauté contre ceux de l'empire.
L'effort de ma raison qui soutient mon orgueil
Ne peut non plus que lui soutenir un coup d'œil ;
Et quand de tout moi-même il m'a rendu le maître,
Pour me rendre à mes fers elle n'a qu'à paroître.
O beauté, qui te fais adorer en tous lieux,
Cruel poison de l'âme, et doux charme des yeux,
Que devient, quand tu veux, l'autorité suprême,
Si tu prends malgré moi l'empire de moi-même,
Et si cette fierté qui fait partout la loi
Ne peut me garantir de la prendre de toi ?
Va la trouver pour moi, cette beauté charmante ;
Du plus utile choix donne lui l'épouvante ;
Pour l'obliger à fuir, peins-lui bien tout l'affront
Que va mon hyménée imprimer sur son front.
Ose plus : fais lui peur d'une prison sévère
Qui me réponde ici du courroux de son frère,
Et retienne tous ceux que l'espoir de sa foi
Pourroit en un moment soulever contre moi.
Mais quelle âme en effet n'en seroit pas séduite ?
Je vois trop de périls, Octar, en cette fuite :
Ses yeux, mes souverains, à qui tout est soumis,
Me sauroient d'un coup d'œil faire trop d'ennemis.
Pour en sauver mon cœur prends une autre manière.
Fais-m'en haïr, peins-moi d'une humeur noire et fière;

Dis-lui que j'aime ailleurs ; et fais-lui prévenir
La gloire qu'Honorie est prête d'obtenir.
Fais qu'elle me dédaigne, et me préfère un autre
Qui n'ait pour tout pouvoir qu'un foible emprunt du
Ardaric, Valamir, ne m'importe des deux.   [nôtre :
Mais voir en d'autres bras l'objet de tous mes vœux !
Vouloir qu'à mes yeux même un autre la possède !
Ah ! le mal est encor plus doux que le remède.
Dis-lui, fais-lui savoir...

OCTAR

Quoi, Seigneur ?

                                Je ne sai :
Tout ce que j'imagine est d'un fâcheux essai.

OCTAR

A quand remettez-vous, après tout, d'en résoudre ?

ATTILA

Octar, je l'aperçois. Quel nouveau coup de foudre !
O raison confondue, orgueil presque étouffé,
Avant ce coup fatal que n'as-tu triomphé !

Dans la suite de la pièce Pyrrhus reste le même.
Trop amant transi :

Faut-il que mes soupirs vous demandent sa vie
                        (d'Astyanax) ?
Faut-il qu'en sa faveur j'embrasse vos genoux ?
                        (III, 7).

mais aussi partagé entre l'amour et la colère. Il
est prêt une fois de plus à renoncer à Hermione
et à épouser Andromaque. Mais il lui faut une
décision immédiate. C'est sur l'heure que son

mariage aura lieu avec l'une ou l'autre et que le
fils sera sauvé ou perdu. Nous ne le verrons plus
que dans une scène un peu gauche où il s'accuse
et s'excuse auprès d'Hermione, en homme du
monde embarrassé de son rôle ingrat et qui s'en
tire encore un peu trop avec des pointes (IV, 5) :

> Andromaque m'arrache un cœur qu'elle déteste.
> L'un par l'autre entraînés nous courons à l'autel
> Nous jurer, malgré nous, un amour immortel.
> . . . .
> Je crains votre silence, et non pas vos injures ;
> Et mon cœur, soulevant mille secrets témoins,
> M'en dira d'autant plus que vous m'en direz moins.

Oreste est le pendant de Pyrrhus. Comme lui,
il aime qui ne l'aime pas. Seulement Pyrrhus est
un autoritaire qui sait user et abuser de son autorité
et qui garde à juste titre l'espoir d'obtenir celle
qu'il désire. Oreste serait peut-être capable d'autorité ; mais il n'en a malheureusement aucune sur
la princesse Hermione. Il ne peut donc guère
qu'attendre en gémissant. Il est ainsi, pour notre
goût, beaucoup trop le frère des milliers de mourants
qui se lamentent dans les romans, tragi-comédies,
élégies, sonnets et madrigaux sur l'impitoyable
indifférence de leur belle. Il est le « déplorable
Oreste » et nous souhaitons trop souvent de le
voir aller pleurer ailleurs. Il se « livre en aveugle au
destin qui l'entraîne ». L'aveuglement nous touche
moins qu'un peu d'énergie. Sans doute il en a, en

paroles ; ou plutôt il a l'intention d'en avoir. Il vient chercher Hermione en Epire, « la fléchir, l'enlever ou mourir à ses yeux (I, 1) ». Mais il n'est en fait capable que de mourir, du moins par métaphore :

> Enfin je viens à vous ; et je me vois réduit
> A chercher dans vos yeux une mort qui me fuit.

Tout son espoir est que Pyrrhus épouse Andromaque et qu'Hermione ulcérée se rejette vers lui. Malheureusement Pyrrhus décide d'abord d'épouser Hermione. Cri de désespoir : « Ah ! Dieux ! ». Il n'y a donc plus d'autre recours que la violence et la vengeance (III, 1).

> C'est pour cela que je veux l'enlever.
> Tout lui riroit, Pylade ; et moi, pour mon partage,
> Je n'emporterois donc qu'une inutile rage ?
> J'irois loin d'elle encor tâcher de l'oublier ?
> Non, non, à mes tourments je veux l'associer.
> C'est trop gémir tout seul. Je suis las qu'on me plaigne :
> Je prétends qu'à mon tour l'inhumaine me craigne,
> Et que ses yeux cruels, à pleurer condamnés,
> Me rendent tous les noms que je leur ai donnés.

PYLADE

> Voilà donc le succès qu'aura votre ambassade :
> Oreste ravisseur !

ORESTE

> Et qu'importe, Pylade ?
> Quand nos États vengés jouiront de mes soins,
> L'ingrate de mes pleurs jouira-t-elle moins ?

Et que me servira que la Grèce m'admire,
Tandis que je serai la fable de l'Épire ?
Que veux-tu ? Mais, s'il faut ne te rien déguiser,
Mon innocence enfin commence à me peser.
Je ne sais de tout temps quelle injuste puissance
Laisse le crime en paix et poursuit l'innocence.
De quelque part sur moi que je tourne les yeux,
Je ne vois que malheurs qui condamnent les Dieux.
Méritons leur courroux, justifions leur haine,
Et que le fruit du crime en précède la peine.
Mais toi, par quelle erreur veux-tu toujours sur toi
Détourner un courroux qui ne cherche que moi ?
Assez et trop longtemps mon amitié t'accable :
Évite un malheureux, abandonne un coupable.
Cher Pylade, crois-moi, ta pitié te séduit.
Laisse-moi des périls dont j'attends tout le fruit.
Porte aux Grecs cet enfant que Pyrrhus m'aban-
Va-t'en.   [donne.

PYLADE

        Allons, Seigneur, enlevons Hermione.
Au travers des périls un grand cœur se fait jour.
Que ne peut l'amitié conduite par l'amour ?
Allons de tous vos Grecs encourager le zèle.
Nos vaisseaux sont tout prêts, et le vent nous appelle.
Je sais de ce palais tous les détours obscurs ;
Vous voyez que la mer en vient battre les murs ;
Et cette nuit, sans peine, une secrète voie
Jusqu'en votre vaisseau conduira votre proie.

ORESTE

J'abuse, cher ami, de ton trop d'amitié.
Mais pardonne à des maux dont toi seul as pitié ;
Excuse un malheureux qui perd tout ce qu'il aime,
Que tout le monde hait, et qui se hait lui-même.
Que ne puis-je à mon tour dans un sort plus heureux...

PYLADE

Dissimulez, Seigneur : c'est tout ce que je veux.
Gardez qu'avant le coup votre dessein n'éclate :
Oubliez jusque-là qu'Hermione est ingrate ;
Oubliez votre amour. Elle vient, je la voi.

ORESTE

Va-t'en. Réponds-moi d'elle, et je réponds de moi.

Il commettra bien un crime, mais non pas celui
qu'il croyait et qu'il voulait ; ce sera seulement
celui que veut Hermione auquel il résiste parce
qu'il est plus odieux qu'un enlèvement et qu'il
s'agit de tuer un homme qui ne vous a rien fait
que d'être aimé tandis qu'on ne l'est pas. Il
obéira pourtant puisqu'il ne sait qu'obéir. Il
reviendra tout glorieux : «Pyrrhus est mort !».
Et il restera tout pantois lorsqu'Hermione le
traitera de perfide et de parricide. Il n'aura plus
d'autre ressource que de sombrer dans la folie ;
une de ces folies dont avaient usé assez souvent
avant Racine les auteurs de comédies, tragi-
comédies et comédies (à commencer par Corneille
dans sa comédie *Mélite*). Oreste échappe pourtant
à la banalité. Il est tout de même un peu plus
qu'une utilité et le moyen de tuer Pyrrhus. Il y a,
nous le verrons, dans *Andromaque*, une sorte
d'atmosphère qui nous fait oublier la « noblesse »
et la « bienséance » des rois et des seigneurs de cour.
Quelque chose du drame antique et de l'impla-

cable destin y demeure. Oreste est comme le
symbole de ce destin :

> Grâce aux dieux ! mon malheur passe mon espérance.
> Oui, je te loue, ô Ciel, de ta persévérance.
> Applique sans relâche au soin de me punir,
> Au comble des malheurs tu m'as fait parvenir.
> Ta haine a pris plaisir à former ma misère ;
> J'étais né pour servir d'exemple à ta colère,
> Pour être du malheur un modèle accompli.
> Hé bien ! Je meurs content et mon sort est rempli.

CHAPITRE VII

LA PEINTURE DES CARACTÈRES ET DES PASSIONS.

3º *Hermione.*

Elle est la première en date des amoureuses forcenées de Racine. Mais elle n'est pas, loin de là, la première du théâtre classique. Nous avons dit que l'on trouverait par dizaines, avant *Andromaque*, les femmes qui haïssent celui qui les trahit ou qui veut les trahir, qui font tuer ou qui veulent faire tuer par jalousie, même si elles ne sont pas trahies et simplement parce qu'elles ne sont pas aimées. Seulement Hermione est la première qui soit vivante. Et elle est vivante parce qu'elle est à la fois plus complexe, plus nuancée — et plus naturelle et plus simple.

Tout autant qu'une amoureuse c'est une orgueilleuse. Fille de roi, officiellement fiancée à Pyrrhus, elle est dédaignée pour une captive, pour une esclave. Quelle humiliation ! Oreste arrive en ambassade, Oreste qui l'a ardemment aimée, qui sans doute l'aime encore. Il va être le témoin de cette humiliation. Que de raisons de haïr Pyrrhus ! « Il y va de ma gloire ». Mais on n'aime ni ne hait à son gré. Hermione est déchirée entre sa passion

obstinée et la colère d'être dédaignée entre un
tenace espoir du retour de Pyrrhus et la réflexion
que ce retour est impossible et qu'il ne lui reste
plus qu'à se venger (II, 1):

> Pourquoi veux-tu, cruelle, irriter mes ennuis ?
> Je crains de me connoître en l'état où je suis.
> De tout ce que tu vois tâche de ne rien croire ;
> Crois que je n'aime plus, vante-moi ma victoire ;
> Crois que dans son dépit mon cœur est endurci ;
> Hélas ! et s'il se peut, fais-le moi croire aussi.
> Tu veux que je le fuie. Hé bien ! rien ne m'arrête :
> Allons. N'envions plus son indigne conquête ;
> Que sur lui sa captive étende son pouvoir.
> Fuyons.... Mais si l'ingrat rentroit dans son devoir !
> Si la foi dans son cœur retrouvoit quelque place !
> S'il venoit à mes pieds me demander sa grâce :
> Si sous mes lois, Amour, tu pouvois l'engager !
> S'il vouloit !... Mais l'ingrat ne veut que m'outrager.
> Demeurons toutefois pour troubler leur fortune ;
> Prenons quelque plaisir à leur être importune ;
> Ou le forçant de rompre un nœud si solennel,
> Aux yeux de tous les Grecs rendons-le criminel.
> J'ai déjà sur le fils attiré leur colère ;
> Je veux qu'on vienne encor lui demander la mère.
> Rendons-lui les tourments qu'elle me fait souffrir :
> Qu'elle le perde, ou bien qu'il la fasse périr.

Dans ce trouble, pour la déchirer encore plus
profondément, revit le souvenir du passé, d'un
passé où elle était heureuse, où elle aimait sans
ruse, dans toute la naïveté de son cœur :

> **Tu t'en souviens encor ; tout conspirait pour lui...**

C'est dans cette confusion d'âme qu'elle reçoit
Oreste. Que lui dire ? Elle est violente, passionnée,
orgueilleuse. Mais elle ignore la duplicité ou si l'on
veut la diplomatie. Il ne faut pas décourager un
Oreste dont l'obstination l'irrite mais qui peut
être un appui et à qui cependant elle est incapable
de laisser croire qu'elle l'aime. Oreste le lui dit :

> L'amour n'est pas un feu qu'on enferme en une âme ;
> Tout nous trahit, la voix, le silence, les yeux
> Et les feux mal couverts n'en éclatent que mieux.

Tout ce qu'elle peut feindre c'est :

> qui vous a dit que malgré mon devoir
> Je n'ai pas quelquefois souhaité de vous voir ?

vague et réticent aveu qui est d'ailleurs tout de
suite contredit :

> Vous que j'ai plaint, enfin que je voudrais aimer...

et qui l'est plus encore lorsque, sans le vouloir,
Oreste blesse son orgueil : « Car enfin il vous hait ;
son âme ailleurs éprise... »

> Qui vous l'a dit, Seigneur, qu'il me méprise ?
> Ses regards, ses discours vous l'ont-ils donc appris ?
> Jugez-vous que ma vue inspire des mépris,
> Qu'elle allume en un cœur des feux si peu durables ?
> Peut-être d'autres yeux me sont plus favorables.

Et comme Oreste se révolte Hermione comprend qu'il ne faut pas le pousser à bout. Encore
une fois elle trahit la passion qui la lie à Pyrrhus.

Mais elle se reprend. Sa décision est ou semble prise. Si Pyrrhus épouse sa captive, elle est prête à suivre Oreste.

Mais Pyrrhus, irrité par les refus d'Andromaque, vient d'annoncer qu'il allait livrer Astyanax et conduire Hermione à l'autel. Et Hermione triomphe avec une naïve puissance d'illusion :

> Conçois-tu les transports de l'heureuse Hermione ?
> Sais-tu quel est Pyrrhus ? t'es-tu fait raconter
> Le nombre des exploits... Mais qui peut les compter ?
> Intrépide et partout suivi de la victoire,
> Charmant, fidèle enfin, rien ne manque à sa gloire.

Le triomphe est aussi cruel qu'il est illusoire. Comme Andromaque vient la supplier d'épargner Astyanax elle lui répond avec une féroce ironie :

> S'il faut fléchir Pyrrhus qui le peut mieux que vous ?
> Vos yeux assez longtemps ont régné sur son âme.
> Faites-le prononcer. J'y souscrirai, Madame.

Le triomphe dure peu. Andromaque a consenti à épouser Pyrrhus. Hermione est rejetée dans l'humiliation et le désespoir. Et son âme n'est plus possédée, ne semble plus possédée que par la soif de vengeance : « Fais-tu venir Oreste ? » :

> Courez au temple. Il le faut immoler

ORESTE

> Qui ?

HERMIONE

> Pyrrhus.

Et comme Oreste se défend d'un lâche assassinat et argumente, Hermione ordonne avec ce qui, pour Oreste, est la pire menace :

> Ne vous suffit-il pas que je l'ai condamné ?
> Ne vous suffit-il pas que ma gloire offensée
> Demande une victime à moi seule adressée ;
> Qu'Hermione est le prix d'un tyran opprimé ;
> Que je le hais ; enfin, Seigneur, que je l'aimai ?
> Je ne m'en cache point : l'ingrat m'avoit su plaire,
> Soit qu'ainsi l'ordonnât mon amour ou mon père,
> N'importe ; mais enfin réglez-vous là-dessus.
> Malgré mes vœux, Seigneur, honteusement déçus,
> Malgré la juste horreur que son crime me donne,
> Tant qu'il vivra craignez que je ne lui pardonne.
> Doutez jusqu'à sa mort d'un courroux incertain :
> S'il ne meurt aujourd'hui, je puis l'aimer demain.
> . . . .
> Armez, avec vos Grecs, tous ceux qui m'ont suivie ;
> Soulevez vos amis : tous les miens sont à vous.
> Il me trahit, vous trompe, et nous méprise tous.
> Mais quoi ? déjà leur haine est égale à la mienne :
> Elle épargne à regret l'époux d'une Troyenne.
> Parlez : mon ennemi ne vous peut échapper.
> Ou plutôt il ne faut que les laisser frapper.
> Conduisez ou suivez une fureur si belle ;
> Revenez tout couvert du sang de l'infidèle ;
> Allez : en cet état soyez sûr de mon cœur.

Donc Pyrrhus va périr. Il le mérite d'autant plus qu'il est venu gauchement, nous l'avons dit, s'excuser auprès d'Hermione et reconnaître qu'il l'a trahie. Devant la présence insultante l'orgueil de la jeune fille lui fait retrouver

la maîtrise d'elle-même et la plus cinglante
ironie (IV, 5) :

> Tout cela part d'un cœur toujours maître de soi,
> D'un héros qui n'est point esclave de sa foi.
> Pour plaire à votre épouse, il vous faudroit peut-être
> Prodiguer les doux noms de parjure et de traître.
> Vous veniez de mon front observer la pâleur,
> Pour aller dans ses bras rire de ma douleur.
> Pleurante après son char vous voulez qu'on me
> [voie;
> Mais, Seigneur, en un jour ce seroit trop de joie ;
> Et sans chercher ailleurs des titres empruntés,
> Ne vous suffit-il pas de ceux que vous portez ?
> Du vieux père d'Hector la valeur abattue
> Aux pieds de sa famille expirante à sa vue,
> Tandis que dans son sein votre bras enfoncé
> Cherche un reste de sang que l'âge avoit glacé ;
> Dans des ruisseaux de sang Troie ardente plongée ;
> De votre propre main Polyxène égorgée
> Aux yeux de tous les Grecs indignés contre vous :
> Que peut-on refuser à ces généreux coups ?

Un moment de faiblesse encore lorsque Pyrrhus
insinue que leur mariage était un mariage diplo-
matique et qu'elle ne l'épousait que par devoir.
Mais tandis qu'elle se laisse aller à demander un
délai d'un seul jour l'attitude de Pyrrhus lui enlève
ses dernières illusions : « Qu'il l'épouse ! » c'est-
à-dire qu'il meure !

> Je ne t'ai point aimé, cruel ? Qu'ai je donc fait ?
> J'ai dédaigné pour toi les vœux de tous nos princes ;
> Je t'ai cherché moi-même au fond de tes provinces ;

J'y suis encor, malgré tes infidélités,
Et malgré tous mes Grecs honteux de mes bontés.
Je leur ai commandé de cacher mon injure ;
J'attendois en secret le retour d'un parjure ;
J'ai cru que tôt ou tard, à ton devoir rendu,
Tu me rapporterois un cœur qui m'étoit dû.
Je t'aimois insconstant, qu'aurois-je fait fidèle ?
Et même en ce moment où ta bouche cruelle
Vient si tranquillement m'annoncer le trépas,
Ingrat, je doute encor si je ne t'aime pas.
Mais, Seigneur, s'il le faut, si le ciel en colère
Réserve à d'autres yeux la gloire de vous plaire,
Achevez votre hymen, j'y consens. Mais du moins
Ne forcez pas mes yeux d'en être les témoins.
Pour la dernière fois je vous parle peut-être :
Différez-le d'un jour ; demain vous serez maître.
Vous ne répondez point ? Perfide, je le voi,
Tu comptes les moments que tu perds avec moi !
Ton cœur, impatient de revoir ta Troyenne,
Ne souffre qu'à regret qu'un autre t'entretienne.
Tu lui parles du cœur, tu la cherches des yeux.
Je ne te retiens plus, sauve-toi de ces lieux :
Va lui jurer la foi que tu m'avois jurée,
Va profaner des Dieux la majesté sacrée.
Ces Dieux, ces justes Dieux n'auront pas oublié
Que les mêmes serment, avec moi t'ont lié.
Porte aux pieds des autels ce cœur qui m'abandonne ;
Va, cours. Mais crains encor d'y trouver Hermione.

Mais ordonner dans la fureur est une chose ;
attendre les résultats de son ordre quand il s'agit
de la mort de celui qu'on a adoré en est une autre.
Hermione s'en rend compte en prononçant (V, 1)
un monologue haletant où tout se mêle comme les

passions contradictoires s'emmêlent dans son âme.
C'est même dans tout le théâtre de Racine, et je
crois bien, dans tout le théâtre classique, le seul
monologue, la seule déclaration développée où,
même quand le personnage devrait être hors de
lui-même, l'auteur renonce à mettre un ordre
logique et réfléchi :

> Où suis-je ? Qu'ai-je fait ? Que dois-je faire encore ?
> Quel transport me saisit ? Quel chagrin me dévore ?
> Errante, et sans dessein, je cours dans ce palais.
> Ah ! ne puis-je savoir si j'aime, ou si je hais ?
> Le cruel ! de quel œil il m'a congédiée !
> Sans pitié, sans douleur, au moins étudiée.
> L'ai-je vu se troubler et me plaindre un moment ?
> En ai-je pu tirer un seul gémissement ?
> Muet à mes soupirs, tranquille à mes alarmes,
> Sembloit-il seulement qu'il eut part à mes larmes ?
> Et je le plains encore ? Et pour comble d'ennui,
> Mon cœur, mon lâche cœur s'intéresse pour lui ?
> Je tremble au seul penser du coup qui le menace ?
> Et prête à me venger, je lui fais déjà grâce ?
> Non, ne révoquons point l'arrêt de mon courroux :
> Qu'il périsse ! Aussi bien il ne vit plus pour nous.
> Le perfide triomphe, et se rit de ma rage :
> Il pense voir en pleurs dissiper cet orage ;
> Il croit que toujours foible et d'un cœur incertain,
> Je parerai d'un bras les coups de l'autre main,
> Il juge encor de moi par mes bontés passées.
> Mais plutôt le perfide a bien d'autres pensées.
> Triomphant dans le temple, il ne s'informe pas
> Si l'on souhaite ailleurs sa vie ou son trépas.
> Il me laisse, l'ingrat ! cet embarras funeste.
> Non, non, encore un coup : laissons agir Oreste.

Qu'il meure, puisqu'enfin il a dû le prévoir,
Et puisqu'il m'a forcée enfin à le vouloir.
A le vouloir ? Hé quoi ? c'est donc moi qui l'ordonne ?
Sa mort sera l'effet de l'amour d'Hermione ?
Ce prince, dont mon cœur se faisoit autrefois
Avec tant de plaisir redire les exploits,
A qui même en secret je m'étois destinée
Avant qu'on eut conclu ce fatal hyménée,
Je n'ai donc traversé tant de mers, tant d'États,
Que pour venir si loin préparer son trépas ?
L'assassiner, le perdre ? Ah ! devant qu'il expire…

Courons donc sauver Pyrrhus ! Mais il est trop
tard ; car voici Cléone qui vient du temple. Non,
il n'est pas trop tard car Pyrrhus, triomphant, est
le mari d'Andromaque et Oreste semble résigné
à n'être que le spectateur de la cérémonie.
C'est donc Hermione qui ira tuer Pyrrhus et
se tuera. Inutile ! Oreste est là. Pyrrhus est
mort :

L'infidèle s'est vu partout envelopper,
Et je n'ai pu trouver de place pour frapper.
Chacun se disputoit la gloire de l'abattre.
Je l'ai vu dans leurs mains quelque temps se débattre
Tout sanglant à leurs coups vouloir se dérober ;
Mais enfin à l'autel il est allé tomber.
Du peuple épouvanté j'ai traversé la presse
Pour venir de ces lieux enlever ma princesse,
Et regagner le port, où bientôt nos amis
Viendront couverts du sang que je vous ai promis.

HERMIONE

Qu'ont-ils fait ?

ORESTE

   Pardonnez à leur impatience :
Ils ont, je le vois bien, trahi votre vengeance.
Vous vouliez que ma main portât les premiers coups,
Qu'il sentît en mourant qu'il expiroit pour vous ; :
Mais c'est moi dont l'ardeur leur a servi d'exemple
Je les ai pour vous seule entraînés dans le temple.
Madame ; et vous pouvez justement vous flatter
D'une mort que leurs bras n'ont fait qu'exécuter.
Vous seule avez poussé les coups...

HERMIONE

     Tais-toi, perfide,
Et n'impute qu'à toi ton lâche parricide.
Va faire chez tes Grecs admirer ta fureur ;
Va. je la désavoue, et tu me fais horreur.
Barbare, qu'as-tu fait ? Avec quelle furie
As-tu tranché le cours d'une si belle vie ?
Avez-vous pu, cruels, l'immoler aujourd'hui,
Sans que tout votre sang se soulevât pour lui ?
Mais parle : de son sort qui t'a rendu l'arbitre ?
Pourquoi l'assassiner ? Qu'a-t-il fait ? A quel titre ?
Qui te l'a dit ?

ORESTE

   O Dieux ! Quoi ? ne m'avez-vous pas
Vous-même, ici, tantôt, ordonné son trépas ?

HERMIONE

Ah ! falloit-il en croire une amante insensée ?
Ne devois-tu pas lire au fond de ma pensée ?
Et ne voyois-tu pas, dans mes emportements,
Que mon cœur démentoit ma bouche à tous mo-
       [ments ?

Quand je l'aurois voulu, falloit-il y souscrire ?
N'as-tu pas dû cent fois te le faire redire ?
Moi-même avant le coup me venir consulter,
Y revenir encore, ou plutôt m'éviter ?
Que ne me laissois-tu le soin de ma vengeance ?
Qui t'amène en des lieux où l'on fuit ta présence ?
Voilà de ton amour le détestable fruit :
Tu m'apportois, cruel, le malheur qui te suit.
C'est toi dont l'ambassade, à tous les deux fatale,
L'a fait pour son malheur pencher vers ma rivale.
Nous le verrions encor nous partager ses soins ;
Il m'aimeroit peut-être, il le feindrait du moins.
Adieu. Tu peux partir. Je demeure en Épire :
Je renonce à la Grèce, à Sparte, à son empire,
A toute ma famille ; et c'est assez pour moi,
Traître, qu'elle ait produit un monstre comme toi.

Telle est cette Hermione si pathétique parce
qu'elle est si vraie. Et elle est vraie d'abord parce
qu'elle est complexe comme le cœur humain en
proie à des passions contradictoires qui se heurtent,
triomphent ou cèdent, puis reviennent à l'attaque.
Mais cette complexité à elle seule ne suffirait pas
pour donner à Hermione la vie puissante qui est
la sienne. On trouve abondamment dans le roman
et le théâtre, avant 1667, beaucoup de personnages
aussi minutieusement étudiés dans les tours et
détours de leur cœur. Nous l'avons dit. Même la
jalousie amoureuse est l'un des cas dont ces romans,
le théâtre, les conversations des salons se plaisent
à noter les aspects tortueux et changeants. Si la
Zayde de Mme de Lafayette (1671) est un roman

fidèle au romanesque puéril des romans de chevalerie on y trouve une *Histoire d'Alphonse et de
Bélasire* qui est l'étude singulièrement pénétrante
d'un cas de jalousie obsession. Bélasire est tendre,
fidèle, limpide. Mais Alphonse voudrait qu'elle
n'eût jamais aimé personne, si peu que ce soit,
avant de l'aimer. Le comte de Lare lui a fait la
cour. En a-t-elle été touchée ? Mais le comte de
Lare est mort. Tant pis ; car jamais Alphonse ne
verra de ses yeux, quand ils seront ensemble, si
Bélasire ne lui rend que de l'indifférence. Il serait
facile de trouver dans le théâtre des exemples de
femme amoureuse et jalouse d'âme à peu près aussi
complexe que celle d'Hermione. C'est le cas de
l'Amalasonte du *Théodat* de Thomas Corneille
(1672). Amalasonte, reine des Goths, aime son
favori Théodat. Mais celui-ci est épris, secrètement,
de la princesse Ildegonde et Amalasonte découvre
leurs amours. Vengeance, vengeance ! Mais il
faut une vengeance qui soit sensationnelle. Hermione fait appel à une vengeance toute simple ;
elle fait tuer Pyrrhus par un amant capable d'assassiner pour lui plaire et par des Grecs furieux de voir
qu'il trahit la Grèce. C'est bien banal. Nos auteurs
épris d'originalité veulent des vengeances plus
raffinées. Nous avons déjà vu que dans l'*Amalasonte* de Quinault. Amalfrede imagine de faire tuer
par Amalasonte qui l'adore un Théodat qui l'adore,
mais dont Amalfrede lui a fait croire qu'il voulait

l'assassiner. Dans *Théodat* la punition vengeresse sera diversement féroce. On ne tuera pas cet autre Théodat ; on mariera celle qu'il aime et dont il est aimé à un rival odieux. C'est, à peu près, une des questions d'amour auxquelles on s'efforçait de répondre galamment dans les salons : « Vaut-il mieux voir sa maîtresse morte ou dans les bras d'un autre ? ». Ce drame pathétique ne serait rien si Amalasonte n'en prenait pas la résolution après les ratiocinations que voici :

THÉODAT

Blâmez de cet oubli le transport téméraire
Qui cherche, veut, poursuit tout ce qui m'est con-
                              [traire ;
Mais, par l'égarement de mes chagrins jaloux,
Criminel envers moi, qu'ai-je fait contre vous ?
De mon cœur inquiet les peines les plus grandes,
Qu'ont-elles qui noircisse...

AMALASONTE

                    Ingrat, tu le demandes ?
Consultes-en ce cœur d'Ildegonde charmé,
Ce cœur au désespoir qu'un autre soit aimé,
Ce cœur qui m'a trompée, et dont l'audace extrême
Sans scrupule à mes yeux...

THÉODAT

                    Il m'a trompé moi-même
Et vous le consacrant, je ne craignais rien moins
Que sa prompte révolte à démentir mes soins.
Vous l'avez vu, Madame, avec quelle âme ouverte
D'Ildegonde tantôt j'ai dédaigné la perte.

Elle aimait, vous vouliez mettre obstacle à son
                          [feu,
Moi-même contre vous j'en ai pressé l'aveu ;
Mais, et je m'en ferai sans cesse un dur reproche,
J'envisageais de loin ce que je vois trop proche.
Le jour pris pour donner et sa main et son cœur,
Rendre heureux un rival m'a fait trembler d'hor-
                          [reur ;
Serez-vous insensible à de si rudes peines ?
Je ne demande point que vous brisiez leurs chaînes ;
Différez seulement un sort pour eux trop doux,
Et me donnez le temps d'être digne de vous.

AMALASONTE

D'être digne de moi ? Tu ne peux jamais l'être,
C'en est fait. Quand enfin tu me ferais paraître
Tout ce qu'a de touchant le plus ardent amour,
Je te dois mes dédains, n'attends point de retour.
J'en souffrirai sans doute, et ma haine étonnée,
Te prenant pour objet se trouvera gênée ;
Je n'en disposerai qu'à force de combats ;
Ils seront durs pour moi, mais tu m'en répondras ;
Et plus j'aurai de peine à m'arracher de l'âme
Les tendres sentiments qu'y fit naître ma flamme,
A rompre ces liens qui m'ont trop su charmer,
Plus tu seras puni de t'être fait aimer.

THÉODAT

Depuis que j'ai connu ce penchant favorable,
Qu'ai-je à me reprocher qui me rende coupable ?

AMALASONTE

Tout ; et puisque ton cœur à d'autres lois soumis
Ne voyait à ma flamme aucun espoir permis,

Tu devais, pour sauver le mien de ma faiblesse,
Me cacher tes vertus que j'admirais sans cesse ;
Ces flatteuses vertus, dont l'engageant appas
T'assurait un triomphe où tu n'aspirais pas.
Mais je t'accuse à tort ; on a souvent beau faire,
L'amour, le fort amour n'a rien de volontaire ;
Et quand on doit goûter ce dangereux poison,
Le destin est toujours plus fort que la raison.
Je ne me prends qu'à lui du feu dont je soupire,
Il m'a fallu t'aimer, mais tu me l'as fait dire ;
Et m'avoir jusques-là forcée à m'abaisser,
C'est un crime pour toi qui ne peut s'effacer.
Pourquoi l'as-tu commis ? Sans ma flamme indis-
                                        [crète
Tu serais innocent, et je te le souhaite,
Oui, comme je ne peux te perdre sans regret,
Je te pardonne tout, et rends-moi mon secret ;
Empêche que ma bouche à s'expliquer trop prompte
Ne t'ait mis en pouvoir de jouir de ma honte.
Si mes yeux t'ont jeté quelques regards flatteurs,
Ce sont d'obscurs témoins qu'on traite d'imposteurs,
Des témoins subornés que la gloire récuse ;
Mais, ingrat, j'ai parlé, ton crime est sans excuse ;
Et, si sur mon amour rien ne t'est imputé,
Tu te repentiras d'avoir trop écouté.

THÉODAT

Il est vrai, cet amour m'assurait trop de gloire ;
En gardant d'une ingrate encor quelque mémoire,
Mon cœur, quoi qu'il se crût dégagé pleinement,
Devait peu se promettre un aveu si charmant.
Aussi, Madame, aussi je vous rendais justice,
Je voyais votre rang, et quoi que j'entendisse,
Mon scrupuleux respect m'empêchait d'accepter
Ce que par de longs soins je voulais mériter.

Vos bontés avaient beau préparer ma victoire,
Pour vous plus que pour moi je tremblais à vous croire.
En rencontrant vos yeux, les miens embarrassés
Refusaient d'expliquer...

AMALASONTE

Ce n'était pas assez ;
Pour m'ôter du péril que tu voyais à craindre,
Il me fallait parler d'Ildegonde, s'en plaindre,
Et murmurer toujours de l'indigne rigueur
Qu'opposaient ses mépris à l'offre de ton cœur.
Du secret de ce cœur par tes plaintes instruite,
J'aurais mieux combattu ce qui m'a trop séduite.
Mais rien n'a repoussé des charmes si pressants,
Tu m'as abandonnée à l'erreur de mes sens,
Et ne viens au secours que me devait ton zèle,
Qu'après que par le temps la blessure est mortelle.
Je me résous à tout ; et, si j'en puis guérir,
Je vois, sans m'effrayer, ce qu'il faudra souffrir.
Du moins le désespoir qui déjà te possède,
Me prépare avec joie à l'aigreur du remède ;
Et ton cœur déchiré par l'hymen que tu crains...

THÉODAT

Quoi, Madame, avec vous mes efforts seront vains,
Et je n'obtiendrai point, soit pitié, soit justice,
Qu'un ordre moins pressant recule mon supplice ;
Accordez quelques jours à mon cœur alarmé ;
J'ai déjà tant souffert à n'être point aimé,
A voir que tous mes soins demeurés sans mérite
Ne m'ont...

AMALASONTE

Et plus que tout, c'est là ce qui m'irrite.
Si tes vœux acceptés justifiaient ta foi,
J'écouterais l'amour qui parlerait pour toi ;

Mais le cœur d'une reine où règne la tendresse,
Ne vaut pas les fiertés d'une ingrate princesse ;
Et tout l'éclat du trône... Ah ! C'est trop m'outrager,
Plus d'amour. Je diffère encore à me venger ?
Viens, viens me voir au temple, en dépit de ta
[flamme,
Donner à ton rival ce qui charme ton âme,
Viens sentir les ennuis qui t'y sont préparés.

(Acte III, scène 5).

Que peut-on tirer de cet extravagant galimatias ?
Que Théodat a essayé d'oublier Ildegonde et
d'aimer Alamasonte. Mais qu'il demande seulement
à Amalasonte de différer l'union d'Ildegonde avec
son rival. A quoi Amalasonte répond : 1º Que
Théodat est coupable de s'être fait aimer 2º Et en
effet puisqu'il en aimait une autre qu'elle, Amalasonte, il fallait qu'il prit soin de n'être pas aimable,
de n'avoir pas les flatteuses vertus qui l'ont fait
aimer. 3º Que sans doute l'amour naît où il veut
et quand il veut et que Théodat serait ainsi innocent. 4º Et qu'on pourrait par conséquent lui
pardonner s'il n'avait pas commis la faute impar-
donnable d'avoir, sans le vouloir, amené Amalasonte à lui dire non seulement par le muet truche-
ment des yeux, mais encore en propres paroles
qu'elle l'aimait :

Mais, ingrat, j'ai parlé, ton crime est sans excuse.

A quoi Théodat est bien embarrassé de répliquer
par autre chose que par un autre galimatias.

Cependant Amalasonte n'a pas fini son argumentation : 5° Il fallait tâcher de me guérir de mon amour en me parlant d'Ildegonde et de sa froideur pour toi. 6° Je ne puis admettre que tu aies préféré une reine qui t'aimait à une simple princesse qui te dédaignait. Conclusion : « Tu vas mourir... non ! tu vas, ce qui est pis, voir celle qui tu adores mariée à ton rival ». Il est vraisemblable que au cours de cette rocailleuse dissertation Amalasonte aurait eu le temps d'oublier sa colère. Au contraire, dans la colère, l'affolement, la fureur de punir d'Hermione rien que les mouvements les plus simples, les plus directs de la fureur et de la vengeance, rien que le heurt de sentiments élémentaires, tuer parce qu'il trahit, pardonner parce que tout de même je l'aime. Quinault, Thomas Corneille sont des auteurs qui connaissaient la mode et les goûts, qui cherchent dans le répertoire des situations psychologiques celles qui feront le plus d'effet, qui les expriment avec les gentillesses de style qui plaisent. Mais Racine est Hermione ; il pense, il sent comme elle. Que peut-elle éprouver et dire dès lors, qui ne soit pas simple et direct. L'esprit de Quinault ou de Thomas Corneille peut courir après des gentillesses ; l'émotion de Racine-Hermione n'en a pas le temps.

CHAPITRE VIII

La peinture des caractères et des passions.

4° *Andromaque*.

Tout autant qu'Hermione elle domine toute la pièce. Elle la domine par sa faiblesse même et son impuissance. C'était comme une gageure de nous intéresser à une femme désarmée, placée dans la plus tragique des situations et qui ne peut rien que gémir et se meurtrir le front contre les murs de la prison morale où l'ambassade d'Oreste et la volonté de Pyrrhus l'ont enfermée. Ce rôle de victime qui semble fatalement condamnée est singulièrement ingrat. Et il a fallu tout le génie de Racine, toute sa puissance de sympathie vivante pour faire d'Andromaque une des plus pathétiques figures du théâtre classique.

Ici d'ailleurs nous ne pourrons faire aucune de ces comparaisons qui nous ont rendu si sensible ce génie. Il y a d'autres mères dans le théâtre classique depuis la Cléopâtre de *Rodogune* jusqu'à la Mérope de Voltaire. Mais ce sont des mères engagées dans de « grands intérêts » politiques et qui ont à assassiner ou à sauver de grands enfants à travers des complots qui leur vaudront le trône ou la mort. Ici c'est la maman d'un tout petit.

Dans l'*Iliade*, avant la mort d'Hector, Astyanax est encore dans les bras de sa mère. Dans *Andromaque* un an seulement s'est écoulé depuis la prise de Troie. Astyanax doit seulement commencer à marcher et à parler. Et c'est d'abord parce qu'elle est la jeune mère d'un tout jeune enfant, par l'éternelle poésie, l'éternelle candeur de cette maternité qu'Andromaque nous saisit de pitié et nous étreint le cœur. Là encore Racine a su trouver les accents les plus simples sans lesquels un sentiment si simple ne semblerait plus qu'une comédie. Pour traduire le plus profond et le plus sacré des instincts tout effet de style tuerait l'émotion :

> Je passais jusqu'aux lieux où l'on garde mon fils,
> Puisqu'une fois le jour vous souffrez que je voie
> Le seul bien qui me reste et d'Hector et de Troie.
> J'allais, Seigneur, pleurer un moment avec lui ;
> Je ne l'ai point encore embrassé d'aujourd'hui.
>
> (I, 4).

Quand elle vient supplier Hermione que Pyrrhus a décidé d'épouser (III, 5) :

> Mais il me reste un fils. Vous saurez quelque jour,
> Madame, pour un fils jusqu'où va notre amour.

Ou quand elle a décidé d'épouser Pyrrhus puis de se tuer, en confiant à Céphise ses derniers désirs (IV, 1) :

> Parle-lui tous les jours des vertu de son père
> Et quelquefois aussi parle lui de sa mère.

Mais elle est pourtant autre chose qu'une maman
craintive et affolée, une captive arrachée à la
simplicité du gynécée. Avec Andromaque aussi
bien qu'avec Pyrrhus, Oreste ou Hermione nous
sommes encore dans le monde raffiné d'une cour
du XVIIᵉ siècle. Andromaque a été reine, une reine
qui comme une Henriette de France a tenu salon
avec des honnêtes gens, qui est cultivée, qui a
l'esprit délié, qui est certes dominée par l'angoisse
et qui, dans cette angoisse, ne songe plus qu'à
l'époux mort et à l'enfant menacé , mais qui sait
retrouver pourtant la souplesse de son esprit et
cet art de dire que l'on apprend dans les salons.
Ainsi au lieu d'une victime gémissante qui nous
lasserait sans doute pendant cinq actes, nous avons
une femme plus variée et plus vivante.

Elle sait d'abord parler en reine et manier l'ironie. Pyrrhus vient (I, 4) lui annoncer l'ambassade d'Oreste :

PYRRHUS

Ah ! Madame, les Grecs si j'en crois leurs alarmes
Vous donneront bientôt d'autres sujets de larmes.

ANDROMAQUE

Et quelle est cette peur dont leur cœur est frappé,
Seigneur ? Quelque Troyen vous est-il échappé ?

PYRRHUS

Leur haine pour Hector n'est pas encore éteinte.
Ils redoutent son fils.

ANDROMAQUE

Digne objet de leur crainte !
Un enfant malheureux qui ne sait pas encor
Que Pyrrhus est son maître et qu'il est fils d'Hector.

Surtout, elle sait user de diplomatie. Il n'y a
guère de candidat au baccalauréat de ma génération et probablement des générations suivantes
qui n'ait eu à commenter une formule de Geoffroy,
puis de Nisard s'extasiant sur la « coquetterie
vertueuse » d'Andromaque. Comme beaucoup de
formules du même genre celle-ci est plus brillante
qu'exacte. Andromaque ne fait pas preuve de
vertu. La vertu, au sens strict du mot, n'interdit
pas à une veuve de prendre un nouveau mari.
D'autre part la coquetterie suppose un contente-
ment et un plaisir. Il est impossible de croire
qu'Andromaque consente en son cœur à être aimable pour Pyrrhus, ni qu'elle y prenne aucun plaisir.
Mais, comme toute grande dame de toutes les
cours du XVIIe siècle, elle a été nécessairement
mêlée à toutes sortes d'intrigues ; il lui a été agréable d'y être mêlée. Rappelons-nous *la Princesse
de Clèves*. Mme de Lafayette nous conte les intrigues de la cour de Henri II et nous pouvons trouver
que, dans leur enchevêtrement, elles encombrent
fâcheusement le roman. Mais Mme de Lafayette
est convaincue que ces intrigues rendaient la cour
« fort agréable ». Andromaque sait donc ce que
c'est que de dire des choses sans les dire, de s'en-

gager sans s'engager. C'est de cette diplomatie
qu'elle se souvient lorsqu'elle rappelle à Pyrrhus
que c'est lui seul, lui qui prétend l'adorer, qui est
la cause de ses désespoirs :

> Mais il me faut tout perdre et toujours par vos coups
> (I, 4).

C'est encore de la diplomatie que de rappeler à
Pyrrhus que si Astyanax meurt, elle le suivra dans
la tombe :

> Mais enfin sur ses pas j'irai revoir son père,
> Ainsi tous trois, Seigneur, par vos soins réunis,
> Nous vous... (I, 4).

ou bien, à l'acte III, s'adressant à Pyrrhus :

> Allons rejoindre mon époux.

Enfin c'est non pas de la coquetterie (quelle pauvre
et vaine coquetterie ce serait !) mais de la diplomatie que de laisser entendre ou même de dire
ouvertement à Pyrrhus qu'entre tous les maîtres
dont elle pouvait être l'esclave il était le meilleur,
ou le moins mauvais. Peut-être même est-elle
sincère ? Peut-être est-elle, était-elle vraiment
reconnaissante à Pyrrhus d'avoir pour elle plus
d'égards qu'elle n'en espérait (III, 6) :

> Seigneur, voyez l'état où vous me réduisez.
> J'ai vu mon père mort, et nos murs embrasés ;
> J'ai vu trancher les jours de ma famille entière,
> Et mon époux sanglant traîné dans la poussière,

Son fils, seul avec moi, réservé pour les fers.
Mais que ne peut un fils ? Je respire, je sers.
J'ai fait plus : je me suis quelquefois consolée
Qu'ici, plutôt qu'ailleurs, le sort m'eût exilée.
Qu'heureux dans son malheur, le fils de tant de rois,
Puisqu'il devoit servir, fût tombé sous vos lois.
J'ai cru que sa prison deviendroit son asile.
Jadis Priam soumis fut respecté d'Achille :
J'attendois de son fils encor plus de bonté.
Pardonne, cher Hector, à ma crédulité.
Je n'ai pu soupçonner ton ennemi d'un crime ;
Malgré lui-même enfin je l'ai cru magnanime.
Ah ! s'il l'étoit assez pour nous laisser du moins
Au tombeau qu'à ta cendre ont élevé mes soins,
Et que finissant là ma haine et nos misères,
Il ne séparât point des dépouilles si chères !

Mais avant tout, avant d'être une reine, une
grande dame à l'esprit délié qui sait conduire une
discussion, choisir les arguments qui portent, elle
est, heureusement pour nous, une femme tout
entière possédée par deux amours qui peuvent
emplir l'âme d'une femme du peuple comme celui
d'une princesse : l'amour du mari qu'elle a perdu,
l'amour du fils qu'il lui a laissé. Et l'amour d'Hector est si puissant qu'il rompt (et c'est encore heureusement) toutes les prudences, qu'il rend vaines,
les pauvres efforts de l'intelligence, les ruses
trop brèves de la diplomatie. Avant tout, c'est
d'Hector qu'il lui faudrait ou ne pas parler ou
parler le moins possible, Hector qui est pour
Pyrrhus l'ennemi invisible et invincible puisqu'il

n'est plus qu'une ombre et qu'un héros vivant
est désarmé contre une ombre. Or elle en parle
toujours, invinciblement :

> Non, vous n'espérez plus de nous revoir encor
> Sacrés murs que n'a pu conserver mon Hector.
> . . . .
> Troie, Hector, contre vous révoltent-ils son âme
> > (d'Hermione),
> Aux cendres d'un époux doit-elle enfin sa flamme ?
> Et quel époux encore ! (I, 4).
> Pardonne, cher Hector, à ma crédulité.
> Je n'ai pu soupçonner ton ennemi d'un crime (III, 6)

et surtout dans la scène que Pyrrhus évoque (II, 5)
et qui crée la péripétie essentielle de la tragédie,
la décision publiée de Pyrrhus d'épouser Hermione :

> Tu l'as vu comme elle m'a traité.
> Je pensais, en voyant sa tendresse alarmée
> Que son fils me la dût renvoyer désarmée.
> J'allais voir le succès de ses embrassements :
> Je n'ai trouvé que pleurs mêlés d'emportements.
> Sa misère l'aigrit ; et toujours plus farouche,
> Cent fois le nom d'Hector est sorti de sa bouche.
> Vainement à son fils j'assurais mon secours :
> « C'est Hector disait-elle en l'embrassant toujours ;
> Voilà ses yeux, sa bouche et déjà son audace,
> C'est lui-même, c'est toi, cher époux, que j'embrasse ! »

C'est cette puissance de tendresse où tout un
être s'abîme qui transfigure la scène 8 de l'acte III.
En elle-même cette scène est un récit conforme aux
meilleures ou aux plus fâcheuses traditions de la

tragédie et de la rhétorique classique : un morceau
de bravoure où il s'agit d'employer adroitement
toutes les ressources des figures de pensée et des
figures de style ; où il faut, autant que possible,
comme ici, se souvenir brillamment des anciens
et transposer, sans les copier, Homère, Virgile
ou Tite-Live ou Tacite. Et Racine abrège et trans-
pose (en se souciant des bienséances et du style
noble) et *l'Iliade* et *l'Enéide* :

> Dois-je oublier Hector privé de funérailles
> Et traîné sans honneur autour de nos murailles ?
> Dois-je oublier son père à mes pieds renversé,
> Ensanglantant l'autel qu'il tenait embrassé ?
> Songe, songe, Céphise, à cette nuit cruelle
> Qui fut pour tout un peuple une nuit éternelle.
> Figure-toi Pyrrhus, les yeux étincelants,
> Entrant à la lueur de nos palais brûlants,
> Sur tous mes frères morts se faisant un passage,
> Et de sang tout couvert échauffant le carnage.
> Songe aux cris des vainqueurs, songe aux cris des
> [mourants,
> Dans la flamme étouffés, sous le fer expirants.
> Peins-toi dans ces horreurs Andromaque éperdue :
> Voilà comme Pyrrhus vint s'offrir à ma vue ;
> Voilà par quels exploits il sut se couronner ;
> Enfin voilà l'époux que tu me veux donner.
> Non, je ne serai point complice de ses crimes ;
> Qu'il nous prenne, s'il veut, pour dernières victimes.
> Tous mes ressentiments lui seroient asservis.

CÉPHISE

> Hé bien ! allons donc voir expirer votre fils :
> On n'attend plus que vous. Vous frémissez, Madame

ANDROMAQUE.

Ah ! de quel souvenir viens-tu frapper mon âme !
Quoi ? Céphise, j'irai voir expirer encor
Ce fils, ma seule joie, et l'image d'Hector :
Ce fils, que de sa flamme il me laissa pour gage !
Hélas ! je m'en souviens, le jour que son courage
Lui fit chercher Achille, ou plutôt le trépas,
Il demanda son fils, et le prit dans ses bras ;
« Chère épouse, dit-il, en essuyant mes larmes,
J'ignore quel succès le sort garde à mes armes ;
Je te laisse mon fils pour gage de ma foi :
S'il me perd, je prétends qu'il me retrouve en toi.
Si d'un heureux hymen la mémoire t'est chère,
Montre au fils à quel point tu chérissois le père. »

Mais qui songerait aujourd'hui (du moins au
moment où l'on écoute *Andromaque)*, et à Homère
et à Virgile. Andromaque, pour sauver son fils,
va se trouver contrainte d'épouser Pyrrhus, ce
Pyrrhus qu'elle a vu pour la première fois dans le
carnage furieux de Troie. Mais, si tout son être
se refuse à cette union, il faudra voir périr son fils,
un fils qu'elle adore et qui est lié à toutes les images
douloureuses et chères qu'elle a gardées d'Hector.
N'est-il pas naturel, comme nous l'avons dit, que,
dans une pareille détresse, elle voie se dresser en
elle des visions, on pourrait dire des hallucinations ?
Ce n'est plus de la rhétorique, c'est le cri pathétique d'une âme en qui le passé ressuscite comme
s'il était le présent.

CHAPITRE IX

LE STYLE, LA POÉSIE ET L'HUMANISME
D'ANDROMAQUE

Le génie de Racine dans *Andromaque* est peut-être un génie d'expression tout autant que le don de donner la vie à des âmes tourmentées. Quand il commence à écrire ses tragédies trois styles sont à la mode. Le « style Balzac » qui cherche le mouvement majestueux de la période, les effets de toutes les figures nobles de la rhétorique, comparaisons, métaphores, antithèses — le style Voiture qui lorsqu'il est mauvais est la mauvaise préciosité et lorsqu'il est bon est fait de délicatesse et d'esprit — et ce style galimatias, dont nous avons donné des exemples, qui s'efforce pour exprimer des sentiments subtils et complexes non pas d'employer un style qui les clarifie mais de recourir à une expression qui les entortille encore plus. Après des polémiques violentes qui durent, en s'aggravant, une trentaine d'années, le style Balzac passe de mode, tout au moins dans la prose. Vers 1667, il garde pourtant son emploi dans la tragédie des « grands intérêts ». On cherche les formules autoritaires, les phrases à la fois tranchantes et ingénieuses qui expriment avec force la majestueuse grandeur des desseins, la puissance inébranlable des résolutions. Ce goût éclate notamment dans les dialogues « stichomythiques ». Vers par vers, hémistiche par hémistiche, les « grandes âmes » se renvoient leurs répliques. C'est, si l'on veut, aussi bien le style Corneille (bien que Corneille ne l'ait pas inventé) que le style Balzac. Racine y a eu recours à l'occasion, discrètement dans *Andromaque* (abondamment dans *la Thébaïde*), notamment quand il fait parler Oreste :

> ... et ces peuples barbares
> De mon sang prodigué sont devenus avares

. . . .

HERMIONE

Je vous haïrais trop.

ORESTE

Vous m'en aimeriez plus

. . . .

ANDROMAQUE

J'ai cru que sa prison deviendrait son asile

etc... Le style Voiture lui aussi, tend à passer de mode. La préciosité s'épure. La « délicatesse » remplace les pointes. Et d'ailleurs ce style n'a pas grand chose à voir avec le ton ou les tons nécessaires dans une tragédie. Reste le style galimatias. Par goût naturel, même dans *la Thébaïde* qui est toute héroïque, même dans *Alexandre* qui est galant avec des agréments d'héroïsme, Racine n'y

a jamais sacrifié. Avant tout il reste fidèle à une
sorte d'instinct qui lui impose la simplicité et la
clarté ou plutôt les différentes façons d'être simple
et d'être clair.

Il ne fait d'ailleurs que suivre avec plus de décision et de fermeté la tendance de sa génération.
« On écrit comme c'est parlé, dit l'un ; et les personnes d'esprit ne cherchent dans le discours (c'est
à-dire dans la conversation) que les termes les plus
propres et les plus naturels ». « L'éclat, dit un autre,
éblouit, et, par conséquent, fait tort aux pensées.
Ce qui est bien pensé se dit toujours naturellement ». C'est après 1667 que Racine se liera avec
le P. Bouhours qui deviendra sinon le maître, tout
au moins le surveillant de son style. C'est également
après cette date que paraîtront les œuvres du
P. Bouhours. Mais il n'y est, pour une large part,
que le porte-paroles de sa génération. Or, le
P. Bouhours exige d'abord la clarté et la limpidité,
tout ce qui est parfaitement naturel : «On dirait
qu'une pensée naturelle devrait venir à tout le
monde ; on l'avait, ce semble, dans la tête avant
que de la lire ; elle paraît aisée à trouver et ne
coûte rien dès qu'on la rencontre ; elle vient moins
en quelque façon de l'esprit de celui qui pense que
de la chose dont on parle ». C'est lui qui décrit la
perfection du style comme celle de la plus belle
eau : parfaitement transparente, sans couleur et
sans saveur. Cette limpidité est d'ailleurs l'idéal

de tous les contemporains. Il n'y a pas de puristes :
tout le monde est puriste. Ferdinand Brunot l'a
parfaitement montré dans son *Histoire de la langue
française*. On poursuit avec une application subtile
les moindres ambiguités, les moindres incertitudes
de sens. Les ennemis même de Boileau et ceux de
Racine vont multiplier les chicanes pour démontrer
qu'ils n'écrivent pas avec la correction et la clarté
désirables.

Ce goût pour la « justesse » et la « clarté » s'impose
peu à peu dans tous les genres littéraires. Dans les
tragédies le goût de la pompe héroïque et du galimatias résistent encore avec succès de 1656 à 1667.
Mais il arrive déjà que l'on rencontre ces effets de
style qui donnent, comme chez Racine, toute leur
force à des sentiments profonds par l'extrême
simplicité de l'expression. On en trouve le pressentiment, avant 1667, parfois chez Thomas Corneille,
plus souvent chez Quinault ou même chez Gilbert.
Assurément ces passages ou ces scènes heureuses
sont noyés dans la maladresse et la convention
générales du style ; mais on discerne tout de même
un goût nouveau.

Ainsi chez Thomas Corneille, le monologue
d'Antiochus (*Antiochus*, I, 2) ; les paroles de tendresse d'Hippias cru Pyrrhus à Déidamie (*Pyrrhus*,
I, 5) :

> *Tous les jours je vous vois ; mais, malgré cette joie,*
> *Je n'ai point de repos que je ne vous revoie.*

> *Ce bonheur est le seul dont mon cœur soit jaloux.*
> *Avec vous tout me plaît ; tout me déplaît sans vous.*
> *Sans cesse je voudrais vous dire ; je vous aime ;*
> *Sans cesse vous ouïr me le dire de même...*

Chez Quinault le style n'est pas fait seulement pour les doucereux et les enjoués qui ne goûtent pas les douceurs d'amour sans des enjouements alambiqués. Il fait comprendre, de temps à autre, la force des expressions les plus simples quand le cœur les charge de sens. Dans *Stratonice*, Seleucus doit, par politique, épouser Stratonice. Mais c'est Barsine qu'il aime, dont il est, d'ailleurs, aimé. Que peut la tendresse de Barsine contre les impérieuses nécessités de la politique ?

> *Et je ne puis, Seigneur, que vous aimer mieux qu'elle !*

Dans *Bellérophon*, Bellérophon s'est épris de Philonoé qui n'ose lui avouer son amour :

PHILONOÉ

Adieu.

BELLÉROPHON

Vous me quittez sans me rien dire ?

PHILONOÉ

Hélas !

BELLÉROPHON

Que me dit ce soupir !

PHILONOÉ

Ah ! ne l'entendez pas !

Et Sténobée qui s'est éprise de Bellérophon, qui croit être aimée de lui, découvre qu'il aime en réalité sa sœur Philonoé et qu'il l'aime ardemment :

> *As-tu bien vu l'excès de l'ardeur qui le presse?*
> *Ce qu'il sent de transports, ce qu'il prend de souci ?*
> *Ah ! sans ma sœur, peut-être, il m'aimerait ainsi.*

Et ce dernier vers est aussi chargé de menaces que le « Sortez » de Roxane.

D'ailleurs une belle eau limpide risquerait à la longue d'être monotone. Mais elle peut être sans cesse variée et pittoresque, sans rien perdre de sa limpidité, pour l'œil qui suit son cours. Elle peut couler bucoliquement, comme dit Boileau, sur « la molle arène ». Elle peut s'étaler en nappes, en lacs transparents où le paysage se mire, que l'aurore et le couchant colorent ; elle peut se précipiter en torrent fougueux, en cataractes grondantes et écumantes. Et le P. Bouhours dira fort bien que simplicité et limpidité ne signifient pas banalité et monotonie. La manière de bien penser du révérend Père comprendra quatre dialogues : 1º *Des pensées vraies et de celles qui n'en ont que l'apparence* — 2º *Qu'outre la vérité il doit y avoir dans les pensées de la grandeur, de l'agrément et de la délicatesse* etc... Par ailleurs le P. Bouhours colligera les *Pensées ingénieuses des Pères de l'Eglise*. Dès *Andromaque* Racine a cherché (en même temps que le naturel et la simplicité) la délicatesse, l'agrément et la grandeur et même, parfois un peu trop, l'ingéniosité.

Assurément, surtout si on le compare à ses contemporains, c'est la simplicité qui domine. Selon l'excellente expression du P. Bouhours il semble que ce que disent ces personnages ne vienne pas de l'esprit de celui qui pense, de l'auteur, mais de la chose dont ils parlent, du sentiment qu'ils éprouvent. Nous en avons donné des exemples et on pourrait les multiplier. Mais, constamment, ils parlent, ils pensent, ils sentent non pas tout à fait comme le commun des mortels mais comme des gens qui ne sont pas le commun des mortels. On a beaucoup trop abusé de ce qu'on appelle le « naturalisme » ou même le « réalisme » de Racine. Assurément on pourrait transposer le sujet d'*Andromaque* dans le milieu le plus vulgaire. Sans tenir compte du double chassé-croisé qui veut que Pyrrhus n'aime pas Hermione qui l'aime, mais aime Andromaque qui ne l'aime pas, mais aime le souvenir d'Hector, tandis qu'Oreste aime Hermione qui ne l'aime pas, ce qui est, nous l'avons dit, une situation tout de même exceptionnelle, on pourrait aisément construire un drame réaliste avec la donnée de Racine. Il est facile d'imaginer une cousine Bette de Balzac ou une Gervaise de l'*Assommoir* aimant un homme qui la trahit pour une autre dont il n'est d'ailleurs pas aimé, poursuivant l'infidèle de prières et d'injures et se vengeant d'un coup

de couteau soit sur l'homme, soit sur la rivale innocente. Mais la même transposition serait possible
avec bien des tragédies qui ne sont pas de Racine
et qui sont antérieures à *Andromaque*. Non pas
avec les tragédies héroïques qui posent les « grands
intérêts politiques ». Ni *Othon*, ni *Attila* ne peuvent
devenir des drames bourgeois ou populaires. Il
n'en est pas de même des tragédies galantes qui
traitent des problèmes, des « questions d'amour ».
Sans doute il y a, en amour, des « délicatesses »
qui ne peuvent exister que dans des âmes raffinées ;
mais le déchaînement des passions, nécessaire
pour susciter la « terreur » et la « pitié » ne comporte
guère ces délicatesses. Si bien qu'on pourrait trans-
porter maint sujet de Quinault ou de Thomas
Corneille dans la vie moyenne ou populaire aussi
bien que le sujet d'*Andromaque*. C'est le cas, par
exemple, pour notre *Amalasonte*. Quel en est le
thème ? Une femme aime un homme qui ne l'aime
pas, qui ne lui a jamais fait aucune avance et qui
en aime ardemment une autre. Une jalousie féroce
et sournoise naît en elle ; elle hait celle qui a la
chance d'être aimée et elle ne songe qu'à se venger,
par ruse et calomnies. Rien de cela ne nous oblige
à supposer que nous sommes dans la vie de cour
et du grand monde,

Mais, en réalité, si Racine voulait être naturel,
jamais il n'a pu concevoir que ce naturel devait
être celui de la vie de n'importe qui. Jamais il n'a

pu le confondre avec celui qu'ont exigé les écoles
que nous appelons réalistes. La tragédie, pour lui
comme pour tous ses contemporains, exige une
certaine atmosphère qui est en réalité une atmosphère d'exception. Elle est, répétons-le, une transposition d'art où les mouvements vrais, sincères
de l'âme humaine ne s'expriment qu'avec une
certaine noblesse. Et c'est pour cela que, malgré
la simplicité et parfois presque la nudité du style,
ce style reste fidèle aux exigences et même aux
conventions du style noble qui seul peut rester en
harmonie avec la somptuosité des costumes, la
pompe du jeu des acteurs et de leur déclamation. Ce style noble exclut d'abord tous les termes jugés « bas », tous ceux qui rappellent de
trop près les réalités de la vie commune. Il impose
par ailleurs l'emploi de certains mots et de certaines images qu'on n'emploierait pas dans cette
vie commune, de certaines recherches de style
dont on ne s'aviserait pas dans l'expression spon-
tanée des sentiments. Andromaque elle-même, sans
jamais tomber vraiment dans le style noble, le
côtoie à l'occasion. Dès sa première entrevue avec
Pyrrhus (I, 4).

> Non, vous n'espérez plus de nous revoir encor,
> Sacrés murs que n'a pu conserver mon Hector.
> . . . .
>   Ah! souvenir cruel !
> Sa mort seule a rendu votre père immortel.

> Il doit au sang d'Hector tout l'éclat de ses armes.
> Et vous n'êtes tous deux connus que par mes larmes.

Contentons-nous de relire la plus grande partie de la scène I de l'acte II où Hermione confie à Cléone le désarroi de son cœur (J'imprime en italiques les vers où apparaissent plus clairement et le style noble et les effets calculés de style) :

CLÉONE

Hé bien, Madame, hé bien ! écoutez donc Oreste.
Pyrrhus a commencé, faites au moins le reste.
Pour bien faire, il faudroit que vous le prévinssiez.
Ne m'avez-vous pas dit que vous le haïssiez ?

HERMIONE

Si je le hais, Cléone ! Il y va de ma gloire,
Après tant de bontés dont il perd la mémoire.
Lui qui me fut si cher, et qui m'a pu trahir !
Ah ! je l'ai trop aimé pour ne point le haïr.

CLÉONE

Fuyez-le donc, Madame ; et puisqu'on vous adore...

HERMIONE

Ah ! laisse à ma fureur le temps de croître encore ;
Contre mon ennemi laisse-moi m'assurer :
Cléone, avec horreur je m'en veux séparer.
Il n'y travaillera que trop bien, l'infidèle !

CLÉONE

Quoi ? vous en attendez quelque injure nouvelle ?
Aimer une captive, et l'aimer à vos yeux,
Tout cela n'a donc pu vous le rendre odieux ?

Après ce qu'il a fait, que sauroit-il donc faire ?
Il vous auroit déplu, s'il pouvoit vous déplaire.

HERMIONE

Pourquoi veux-tu, cruelle, irriter mes ennuis
 Je crains de me connoître en l'état où je suis.
De tout ce que tu vois tâche de ne rien croire ;
Crois que je n'aime plus, vante-moi ma victoire ;
Crois que dans son dépit mon cœur est endurci ;
Hélas ! et s'il se peut, fais-le moi croire aussi.
Tu veux que je le fuie. Hé bien! rien ne m'arrrête :
Allons. N'envions plus son indigne conquête ;
Que sur lui sa captive étende son pouvoir..
Fuyons... Mais si l'ingrat rentroit dans son devoir !
Si la foi dans son cœur retrouvoit quelque place !
S'il venoit à mes pieds me demander sa grâce !
Si sous mes lois, Amour, tu pouvais l'engager !
S'il vouloit...! Mais l'ingrat ne veut que m'outrager.
Demeurons toutefois pour troubler leur fortune ;
Prenons quelque plaisir à leur être importune ;
Ou le forçant de rompre un nœud si solennel
Aux yeux de tous les Grecs rendons-le criminel.
J'ai déjà sur le fils attiré leur colère ;
Je veux qu'on vienne encor lui demander la mère.
Rendons-lui les tourments qu'elle me fait souffrir :
Qu'elle le perde, ou bien qu'il la fasse périr.

CLÉONE

Vous pensez que des yeux toujours ouverts aux larmes
Se plaisent à troubler *le pouvoir de vos charmes,*
Et qu'un cœur accablé de tant de déplaisirs
De son persécuteur *ait brigué les soupirs* ?
Voyez si sa douleur en paroit soulagée.
Pourquoi donc les chagrins où son âme est plongée?
Contre un amant qui plaît pourquoi tant de fierté ?

HERMIONE

Hélas! pour mon malheur, je l'ai trop écouté.
Je n'ai point du silence affecté le mystère :
Je croyais sans péril pouvoir être sincère ;
Et sans armer mes yeux d'un moment de rigueur
Je n'ai pour lui parler consulté que mon cœur.
Et qui ne se seroit comme moi déclarée
Sur la foi d'une amour si saintement jurée ?
Me voyoit-il de l'œil qu'il me voit aujourd'hui ?
Tu t'en souviens encor, tout conspiroit pour lui :
Ma famille vengée, et les Grecs dans la joie,
Nos vaisseaux tout chargés des dépouilles de Troie,
Les exploits de son père effacés par les siens,
Ses feux que je croyois plus ardents que les miens,
Mon cœur, toi-même enfin de sa gloire éblouie,
Avant qu'il me trahit, vous m'avez tous trahie.
Mais c'en est trop, Cléone, et quel que soit Pyrrhus,
Hermione est sensible, Oreste a des vertus.
Il sait aimer du moins, et même sans qu'on l'aime ;
Et peut-être il saura se faire aimer lui-même.
Allons : qu'il vienne enfin.

CLÉONE

Madame, le voici.

HERMIONE

Ah ! je ne croyois pas qu'il fût si près d'ici.

Simplicité pure ou simplicité noble suffirait déjà pour varier le style d'*Andromaque*. Mais, par instinct ou par réflexion d'artiste (comment le savoir?). Racine a trouvé d'autres moyens de varier son style. Tout d'abord il n'y a pas une sorte de mélange ou de fusion régulière de l'une et de l'autre. Lorsque le mouvement de la passion devient plus violent, lorsqu'il doit entraîner le style comme il précipite les sentiments, les ornements du style noble disparaissent presque entièrement. C'est bien la passion qui parle là « toute pure », comme le demande l'Alceste de Molière. Relisons la scène 3 de l'acte IV entre Oreste et Hermione :

HERMIONE

Je veux savoir, Seigneur, si vous m'aimez.

ORESTE

Si je vous aime ? O Dieux ! mes serments, mes parjures,
Ma fuite, mon retour, mes respects, mes injures,
Mon désespoir, mes yeux de pleurs toujours noyés,
Quels témoins croirez-vous, si vous ne les croyez ?

HERMIONE

Vengez-moi, je crois tout.

ORESTE

Hé bien! allons, Madame :
Mettons encore un coup toute la Grèce en flamme ;
Prenons, en signalant mon bras et votre nom,
Vous, la place d'Hélène, et moi, d'Agamemnon.
De Troie en ce pays réveillons les misères ;
Et qu'on parle de nous, ainsi que de nos pères.
Partons, je suis tout prêt.

HERMIONE

Non, Seigneur, demeurons
Je ne veux pas si loin porter de tels affronts.
Quoi ? de mes ennemis couronnant l'insolence,
J'irois attendre ailleurs une lente vengeance ?

Et je m'en remettrois au destin des combats,
Qui peut-être à la fin ne me vengeroit pas ?
Je veux qu'à mon départ toute l'Épire pleure.
Mais si vous me vengez, vengez-moi dans une heure.
Tous vos retardements sont pour moi des refus.
Courez au temple. Il faut immoler...

ORESTE

Qui ?

HERMIONE

Pyrrhus.

ORESTE

Pyrrhus, Madame ?

HERMIONE

Hé quoi ? votre haine chancelle
Ah! courez, et craignez que je ne vous rappelle.
N'alléguez point des droits que je veux oublier ;
Et ce n'est pas à vous à le justifier.

ORESTE

Moi, je l'excuserois? Ah ! vos bontés, Madame,
Ont gravé trop avant ses crimes dans mon âme.
Vengeons-nous, j'y consens, mais par d'autres
                                        [chemins.
Soyons ses ennemis, et non ses assassins :
Faisons de sa ruine une juste conquête.
Quoi ? pour réponse, aux Grecs porterai-je sa tête ?
Et n'ai-je pris sur moi le soin de tout l'État
Que pour m'en acquitter par un assassinat ?
Souffrez, au nom des Dieux, que la Grèce s'explique,
Et qu'il meure chargé de la haine publique.
Souvenez-vous qu'il règne, et qu'un front couronné.

HERMIONE

Ne vous suffit-il pas que je l'ai condamné ?
Ne vous suffit-il pas que ma gloire offensée
Demande une victime à moi seule adressée ;
Qu'Hermione est le prix d'un tyran opprimé ;
Que je le hais ; enfin, Seigneur, que je l'aimai ?
Je ne m'en cache point : l'ingrat m'avoit su plaire,
Soit qu'ainsi l'ordonnât mon amour ou mon père,
N'importe ; mais enfin réglez-vous là-dessus.
Malgré mes vœux, Seigneur, honteusement déçus,
Malgré la juste horreur que son crime me donne,
Tant qu'il vivra craignez que je ne lui pardonne.
Doutez jusqu'à sa mort d'un courroux incertain :
S'il ne meurt aujourd'hui, je puis l'aimer demain.

ORESTE

Hé bien! il faut le perdre, et prévenir sa grâce ;
Il faut... Mais cependant que faut-il que je fasse ?
Comment puis-je sitôt servir votre courroux ?
Quel chemin jusqu'à lui peut conduire mes coups ?
A peine suis-je encore arrivé dans l'Épire,
Vous voulez par mes mains renverser un empire ;
Vous voulez qu'un roi meure, et pour son châtiment
Vous ne donnez qu'un jour, qu'une heure, qu'un
                                        [moment.
Aux yeux de tout son peuple il faut que je l'opprime
Laissez-moi vers l'autel conduire ma victime,
Je ne m'en défends plus ; et je ne veux qu'aller
Reconnoître la place où je dois l'immoler.
Cette nuit je vous sers, cette nuit je l'attaque.

HERMIONE

Mais cependant ce jour il épouse Andromaque.
Dans le temple déjà le trône est élevé ;
Ma honte est confirmée et son crime achevé.

Enfin qu'attendez-vous ? Il vous offre sa tête ;
Sans gardes, sans défense, il marche à cette fête ;
Autour du fils d'Hector il les fait tous ranger ;
Il s'abandonne au bras qui me voudra venger.
Voulez-vous, malgré lui, prendre soin de sa vie ?
Armez, avec vos Grecs, tous ceux qui m'ont suivie ;
Soulevez vos amis : tous les miens sont à vous.
Il me trahit, vous trompe, et nous méprise tous.
Mais quoi ? déjà leur haine est égale à la mienne :
Elle épargne à regret l'époux d'une Troyenne.
Parlez : mon ennemi ne vous peut échapper.
Ou plutôt il ne faut que les laisser frapper.
Conduisez ou suivez une fureur si belle ;
Revenez tout couvert de sang de l'infidèle ;
Allez : en cet état soyez sûr de mon cœur.

ORESTE

Mais, Madame, songez...

HERMIONE

    Ah ! c'en est trop, Seigneur.
Tant de raisonnements offensent ma colère.
J'ai voulu vous donner les moyens de me plaire,
Rendre Oreste content ; mais enfin je vois bien
Qu'il veut toujours se plaindre, et ne mériter rien.
Partez : allez ailleurs vanter votre constance,
Et me laisser ici le soin de ma vengeance.
De mes lâches bontés mon courage est confus,
Et c'est trop en un jour essuyer de refus.
Je m'en vais seule au temple, où leur hymen s'apprête,
Où vous n'osez aller mériter ma conquête.
Là, de mon ennemi je saurai m'approcher :
Je percerai le cœur que je n'ai pu toucher ;
Et mes sanglantes mains, sur moi-même tournées,
Aussitôt, malgré lui, joindront nos destinées ;

Et tout ingrat qu'il est, il me sera plus doux
De mourir avec lui que de vivre avec vous.

ORESTE

Non, je vous priverai de ce plaisir funeste,
Madame : il ne mourra que de la main d'Oreste.
Vos ennemis par moi vont vous être immolés,
Et vous reconnoîtrez mes soins, si vous voulez.

HERMIONE

Allez. De votre sort laissez-moi la conduite,
Et que tous vos vaisseaux soient prêts pour notre fuite.

Surtout dans les propos d'Hermione, à peu près
aucune trace du style noble. Seuls les deux vers :

Et mes sanglantes mains sur moi-même tournées,
Aussitôt, malgré lui, joindront nos destinées.

sont sans doute une façon un peu savante de dire :
« Je me tuerai après l'avoir tué ». Pour tout le
reste, le style est bien ce que le P. Bonhours
demande : si direct qu'il semble qu'Hermione dit
ce que chacun devrait dire dans un mouvement de
fureur jalouse.

Par surcroît il arrive de temps à autre que, le
ton du style change quand la situation le permet
ou l'exige. Scène 2 de l'acte I : C'est un ambassadeur qui vient remplir sa mission auprès d'un roi.
Il ne s'agit plus d'un emportement de passion ;
il ne s'agit plus de se laisser entraîner ; il ne s'agit
plus de pensées « délicates » ou « ingénieuses » ;
il faut se faire comprendre ; il faut que le roi sache

exactement ce que l'on demande et pourquoi ; il faut que l'ambassadeur sache ce que l'on répond et pourquoi. Dès lors nous avons deux discours méthodiques, le premier grave et pressant, le second où alternent la gravité grave et la gravité ironique :

ORESTE

Avant que tous les Grecs vous parlent par ma voix,
Souffrez que j'ose ici me flatter de leur choix,
Et qu'à vos yeux, Seigneur, je montre quelque joie
De voir le fils d'Achille et le vainqueur de Troie.
Oui, comme ses exploits nous admirons vos coups :
Hector tomba sous lui, Troie expira sous vous ;
Et vous avez montré, par une heureuse audace,
Que le fils seul d'Achille a pu remplir sa place.
Mais, ce qu'il n'eût point fait, la Grèce avec douleur
Vous voit du sang troyen relever le malheur,
Et vous laissant toucher d'une pitié funeste,
D'une guerre si longue entretenir le reste.
Ne vous souvient-il plus, Seigneur, quel fut Hector ?
Nos peuples affoiblis s'en souviennent encor.
Son nom seul fait frémir nos veuves et nos filles ;
Et dans toute la Grèce il n'est point de familles
Qui ne demandent compte à ce malheureux fils
D'un père ou d'un époux qu'Hector leur a ravis.
Et qui sait ce qu'un jour ce fils peut entreprendre ?
Peut-être dans nos ports nous le verrons descendre,
Tel qu'on a vu son père embraser nos vaisseaux,
Et, la flamme à la main, les suivre sur les eaux.
Oserai-je, Seigneur, dire ce que je pense ?
Vous-même de vos soins craignez la récompense,
Et que dans votre sein ce serpent élevé
Ne vous punisse un jour de l'avoir conservé.

Enfin de tous les Grecs satisfaites l'envie,
Assurez leur vengeance, assurez votre vie ;
Perdez un ennemi d'autant plus dangereux
Qu'il s'essaira sur vous à combattre contre eux.

PYRRHUS

La Grèce en ma faveur est trop inquiétée.
De soins plus importants je l'ai crue agitée,
Seigneur ; et sur le nom de son ambassadeur,
J'avois dans ses projets conçu plus de grandeur.
Qui croiroit en effet qu'une telle entreprise
Du fils d'Agamemnon méritât l'entremise ;
Qu'un peuple tout entier, tant de fois triomphant,
N'eût daigné conspirer que la mort d'un enfant ?
Mais à qui prétend-on que je le sacrifie ?
La Grèce a-t-elle encor quelque droit sur sa vie ?
Et seul de tous les Grecs ne m'est-il pas permis
D'ordonner d'un captif que le sort m'a soumis ?
Oui, Seigneur, lorsqu'au pied des murs fumants de
                                              [Troie
Les vainqueurs tout sanglants partagèrent leur
                                              [proie ?
Le sort, dont les arrêts furent alors suivis,
Fit tomber en mes mains Andromaque et son
                                              [fils.
Hécube près d'Ulysse acheva sa misère ;
Cassandre dans Argos a suivi votre père ;
Sur eux, sur leurs captifs ai-je étendu mes droits?
Ai-je donc disposé du fruit de leurs exploits ?
On craint qu'avec Hector Troie un jour ne renaisse ;
Son fils peut me ravir le jour que je lui laisse.
Seigneur, tant de prudence entraîne trop de soin :
Je ne sais point prévoir les malheurs de si loin.
Je songe quelle étoit autrefois cette ville,
Si superbe en remparts, en héros si fertile,

Maîtresse de l'Asie ; et je regarde enfin
Quel fut le sort de Troie, et quel est son destin.
Je ne vois que des tours que la cendre a couvertes,
Un fleuve teint de sang, des campagnes désertes,
Un enfant dans les fers ; et je ne puis songer
Que Troie en cet état aspire à se venger.
Ah ! si du fils d'Hector la perte étoit jurée,
Pourquoi d'un an entier l'avons-nous différée ?
Dans le sein de Priam n'a-t-on pu l'immoler ?
Sous tant de morts, sous Troie il falloit l'accabler.
Tout étoit juste alors : la vieillesse et l'enfance
En vain sur leur foiblesse appuyoient leur défense ;
La victoire et la nuit, plus cruelles que nous,
Nous excitoient au meurtre, et confondoient nos
                                     [coups.
Mon courroux aux vaincus ne fut que trop sévère.
Mais que ma cruauté survive à ma colère?
Que malgré la pitié dont je me sens saisir,
Dans le sang d'un enfant je me baigne à loisir ?
Non, Seigneur. Que les Grecs cherchent quelque
                                     [autre proie;
Qu'ils poursuivent ailleurs ce qui reste de Troie :
De mes inimitiés le cours est achevé ;
L'Épire sauvera ce que Troie a sauvé.

Il y a sans doute quelques vers de Pyrrhus qui
sentent un peu la rhétorique :

Dans le sein de Priam n'a-t-on pu l'immoler ?
. . . .
Tout était juste alors : la vieillesse et l'enfance
En vain sur leur faiblesse appuyoient leur défense.

Mais c'est bien, dans l'ensemble, le ton que, dans
la réalité, aurait pu prendre un pareil entretien.

Il y a même, à l'occasion, dans *Andromaque* une ébauche du grand style épique. Elle est discrète ; car c'est dans la bouche d'Andromaque qu'on le trouve lorsqu'elle évoque (III, 8) les horreurs de la prise de Troie et les fureurs sanglantes de Pyrrhus. Nous avons dit que ce court récit se justifie et le style aussi a sa raison d'être ; on n'évoque guère un pareil souvenir sans hausser le ton :

> Dois-je oublier Hector privé de funérailles
> Et traîné sans honneur autour de nos murailles ?
> Dois-je oublier son père à mes pieds renversé,
> Ensanglantant l'autel qu'il tenoit embrassé ?
> Songe, songe, Céphise, à cette nuit cruelle
> Qui fut pour tout un peuple une nuit éternelle.
> Figure-toi Pyrrhus, les yeux étincelants,
> Entrant à la lueur de nos palais brûlants,
> Sur tous mes frères morts se faisant un passage,
> Et de sang tout couvert échauffant le carnage.
> Songe aux cris des vainqueurs, songe aux cris des
> [mourants,
> Dans la flamme étouffés, sous le fer expirants.
> Peins-toi dans ces horreurs Andromaque éperdue :
> Voilà comme Pyrrhus vint s'offrir à ma vue ;
> Voilà par quels exploits il sut se couronner ;
> Enfin voilà l'époux que tu me veux donner.
> Non, je ne serai point complice de ses crimes ;
> Qu'il nous prenne, s'il veut, pour dernières victimes.
> Tous mes ressentiments lui seroient asservis.

Sans doute l'évocation pourrait être faite d'une façon plus simple. Là encore, la conception que tout le XVIIᵉ siècle se fait de la tragédie impose à

Andromaque une sorte de majesté de langage. Cette conception s'affirme encore plus nettement lorsque Andromaque évoque ensuite les derniers adieux qu'elle fit à Hector.. Souvenons-nous du récit de *l'Iliade* (je supprime les longs discours d'Hector et d'Andromaque qui y maintiennent d'ailleurs le caractère épique) :

« Hector sourit, regardant son fils en silence. Mais Andromaque près de lui s'arrête, pleurante ; elle lui prend la main, elle lui parle, en l'appelant de tous ses noms... Ainsi dit l'illustre Hector ; et il tend les bras à son fils. Mais l'enfant se détourne et se rejette en criant sur le sein de sa nourrice à la belle ceinture ; il s'épouvante à l'aspect de son père ; le bronze lui fait peur et le panache aussi, en crins de cheval, qu'il voit osciller au sommet du casque, effrayant. Son père éclate de rire et sa digne mère. Aussitôt de sa tête, l'illustre Hector ôte son casque : il le dépose, resplendissant, sur le sol. Après quoi, il prend son fils, et le baise, et le berce en ses bras, et dit, en priant Zeus et les autres dieux... Il dit, et met son fils dans les bras de sa femme ; et elle le reçoit sur son sein parfumé, avec un rire en pleurs. Son époux, à la voir, alors a pitié. Il la flatte de la main, il lui parle... ». *(Traduction Paul Mazon.)*

Voici ce que devient ce récit dans la bouche d'Andromaque :

Ah ! de quel souvenir viens-tu frapper mon âme!
Quoi ? Céphise, j'irai voir expirer encor
Ce fils, ma seule joie, et l'image d'Hector :
Ce fils, que de sa flamme il me laissa pour gage !
Hélas ! je m'en souviens, le jour que son courage
Lui fit chercher Achille, ou plutôt le trépas,
Il demanda son fils, et le prit dans ses bras :
« Chère épouse, dit-il, en essuyant mes larmes,
J'ignore quel succès le sort garde à mes armes ;
Je te laisse mon fils pour gage de ma foi :
S'il me perd, je prétends qu'il me retrouve en toi.
Si d'un heureux hymen la mémoire t'est chère,
Montre au fils à quel point tu chérissois le père. »

Tout ce qu'il y a de naïvement puéril, tout ce qu'il
y a de familiarité domestique dans le récit d'Homère
et qui le rend plus pathétique parce qu'il ne s'agit
plus d'un prince et d'une princesse, d'un héritier
du nom, mais d'un père, d'une mère et d'un petit
enfant de partout et de toujours, tout cela a disparu
du texte de Racine.

Ne nous en plaignons pas trop ; car c'est, en
partie cette noblesse, d'ailleurs si souple et si
variée, cette fusion de la simplicité, du naturel et
des attitudes harmonisant la nature qui font pour
une large part la poésie d'*Andromaque* comme celle
de tout le théâtre de Racine. Cette poésie tient à bien
des choses, notamment à la subtile musique des
vers. On cite souvent, à juste titre, le vers d'Oreste :

et tu m'as vu depuis
Traîner de mers en mers ma chaîne et mes ennuis.

qui semble refléter, par une sorte d'harmonie mélancolique, l'incurable et errante détresse d'Oreste. On en pourrait citer d'autres. Mais c'est tout le théâtre de Racine qu'il faudrait étudier et l'étude rencontre le plus souvent quelque chose d'insaisissable. On écoute la poésie musicale d'*Andromaque* et des autres tragédies plutôt qu'on n'en précise les secrets. Il n'en est pas de même s'il s'agit de cette noblesse, sans raideur harmonieuse qui est la transposition d'art, la poésie de toute la pièce. Songeons au parc de Versailles. Ce parc est fait avec ce que donne la nature, avec des arbres et leurs feuillages, avec des gazons, des fleurs, des eaux. Il est profondément naturel si on le compare au jardin seigneurial du XVIe siècle. Celui-ci n'est qu'un tapis étendu devant ou derrière le château ou sur ses flancs. Des fleurs plantées en arabesques savantes ; des buis soigneusement tondus ; de minuscules bassins de pierre, quand il y en a ; point d'arbres sinon des arbustes à feuilles dures taillés en formes géométriques. Certes la géométrie domine à Versailles. Mais tout de même Le Nôtre restitue les vastes perspectives, les grands arbres aux larges et mouvantes frondaisons. La nature est disciplinée ; elle n'est pas rapetissée. Rêvons sur ce vaste et noble ensemble un ciel noir qui pèse, menaçant d'orage. Une tempête s'élève. Les frondaisons gémissent. Une pluie furieuse frappe les gazons, les bassins dont l'eau paisible tourbillonne.

Certes ce n'est pas une tempête romantique dans l'échevèlement d'une forêt sauvage. Il n'y a point de torrents déchaînés roulant les arbres déracinés, point de mugissements des antres sourds, point d'affreuses dévastations. Mais le parc sera beau et tragique tout de même, d'une autre sorte de beauté d'une autre sorte de poésie. Cette beauté sera naturelle car elle sera faite des choses de la nature. Elle ne sera pas toute la nature et rien que la nature. Elle sera la fusion d'un dessein humain et des choses de la nature. Telle est la beauté, la poésie d'*Andromaque*. Rien n'y sent l'artifice. Tout y manifeste la présence de l'art.

Ajoutons que cette poésie est due, pour une autre part, à la collaboration de notre imagination transportée dans des temps lointains qui se revêtent pour nous, invinciblement de poésie. L'action d'*Andromaque* se déroule à l'époque de la guerre de Troie. Elle évoque et les souvenirs de cette guerre et ceux du cycle des légendes troyennes. Andromaque et Pyrrhus sont l'image du désastre de Troie, Oreste c'est Agamemnon et Clytemnestre, l'adultère, le parricide et la poursuite des furies. Pylade même est le symbole d'une amitié que rien ne peut rompre. A travers quatre siècles de retour à la culture antique, à travers Homère, Virgile, Euripide et dix autres, c'est, dès que certains noms sont prononcés, tout un monde qui ressuscite. Un monde qui n'a pas grand chose de commun avec

ce qu'il fut en réalité. Les historiens, les archéo-
logues nous ont enseigné ce qu'étaient vraiment
ces petits peuples et ces petits rois, tout mêlés de
barbarie sauvage, de superstitions sanglantes et
de luxe, d'art encore tâtonnant et d'intelligence
déjà raffinée. Nous savons bien que l'Achille,
l'Ulysse, l'Agamemnon, l'Iphigénie, l'Hector ou
l'Andromaque tels que se les représentaient
Boileau, Racine, La Bruyère n'avaient rien de
commun avec ce qu'ils furent historiquement (ou
ce que furent les rois et princes dont les légendes
se sont inspirées). Nous comprenons (ce qui gênait
tant les « Anciens ») qu'Agamemnon découpât lui-
même le rôti et tendît les tranches à ses hôtes
royaux : la viande était l'aliment de choix que seul
le chef de famille avait le droit de dispenser. Nous
comprenons qu'Ulysse s'entretienne avec son
porcher : la fortune du chef d'une minuscule tribu
c'était alors, pour une large part, son bétail ; et
Ulysse converse en somme avec son ministre des
finances. Mais l'érudition a beau reconstituer un
monde fruste, pittoresque sans doute mais où il
n'y a pas plus de poésie que dans une tribu de
Mongols ou d'Arabes, rien ne prévaut contre les
prestiges de l'art grec ou gréco-latin, contre les
poèmes immortels qui ont transfiguré ces vies
primitives. Ainsi Pyrrhus, Andromaque, Oreste et
même Hermione ont nécessairement la grandeur,
l'harmonie, le charme de cent statues grandioses,

harmonieuses et charmantes, ceux des dieux, déesses, nymphes et naïades qui peuplent, comme si leurs formes de marbre étaient à demi-vivantes notre parc de Versailles ; c'est Chénier, c'est Leconte de Lisle, ce sont *les Médailles d'argile* ou *les Jeux rustiques et divins*. Sans doute Racine n'a pas été le seul a être nourri de mythologie et de légendes antiques. Mais seul de tous les grands écrivains de son temps il a su parfaitement le grec ; il a pu lire dans le texte non seulement Aristote mais encore Homère, Sophocle, Euripide. Ainsi, seul parmi ses contemporains, qu'il choisisse ou ne choisisse pas des sujets grecs, il a été capable d'envelopper ses tragédies grecques de cette sorte d'harmonie qui nous semble inséparable de tout ce qui est grec. La violence des passions a beau « déplacer les lignes » ; elles n'en garde pas moins la mystérieuse beauté d'un Laocoon et de ses fils écrasés par des serpents monstrueux, d'une Niobé pantelante sur les cadavres de ses enfants.

Il n'en reste pas moins que cette poésie est **vérité** et qu'on n'a pas tort d'insister sur l'« humanisme » des tragédies de Racine et, par conséquent, d'*Andromaque*. La grandeur de notre tragédie est bien d'évoquer pour nous, avec une exceptionnelle puissance, le drame des éternelles passions humaines déchaînées. Racine, sans doute, suit ici le courant général de son siècle. Avant 1650, et même jusque vers 1660, la littérature, dans son

ensemble, se soucie fort peu d'être vraie. Elle est
avant tout un jeu de la « fantaisie » c'est-à-dire,
au sens qu'avait alors le mot, d'une imagination
qui n'a aucun souci de recréer ce qui ressemble
à la vie. Au contraire la fantaisie s'évade hors de
la vie ; elle cherche et nous donne le plaisir de
l'oublier. Mais on se lasse de ce qui est exceptionnel.
Assurément on ne conçoit pas que l'art puisse
reproduire toute la vie, que son mérite soit de
la reproduire tout entière avec la plus stricte
exactitude. Il faut choisir. Et le principe de choix
c'est le général, l'universel. Ce principe, par lui-
même, exclut le réalisme. Il y a toujours eu, il y
aura sans doute toujours des femmes violentes et
jalouses que la fureur de la jalousie poussera
jusqu'au crime. Mais les façons d'être furieuses
et d'être criminelle ne seront pas les mêmes dans
tous les temps et dans tous les milieux. L'Hermione
d'Euripide est en somme, bien que femme légitime,
l'esclave du maître ; elle attendra son absence
pour agir. Ce qui soulève sa colère ce n'est pas tant
qu'Andromaque soit, à son corps défendant, la
maîtresse de Pyrrhus ; il est trop évident que toutes
les femmes légitimes de tous les rois de ce temps
avaient des concurrentes plus ou moins momen-
tanées ; c'est qu'elle est, elle, stérile, sans doute
par les maléfices d'Andromaque et qu'Andromaque
a donné à Pyrrhus un héritier. Nous sommes, avec
Euripide, dans le gynécée d'un roitelet grec. Au

contraire le goût classique nous transporte dans un monde un peu abstrait sans doute mais qui, par son abstraction même, est de tous les temps et de tous les pays. Ce goût est convaincu que l'âme humaine, essentiellement, ne change pas ; que si l'on connaît bien le mécanisme des passions, on sait comment elles ont agité les guerriers du temps d'Homère, aussi bien que les grands seigneurs du temps de Henri II et de *la Princesse de Clèves*. Rien ne gêne Racine et ses contemporains dans l'étude de ces mécanismes puisqu'ils n'ont pas de sens historique et que la recherche du général n'est pas sans cesse entravée par le sentiment des innombrables différences des temps et des milieux.

Mais chez ces contemporains, malgré que leur curiosité fût la même que celle de Racine, nous ne trouvons pas plus l'homme que les hommes. Sans doute leur étude des passions les conduit, nous l'avons vu, aux observations mêmes que Racine a mises en œuvre. Mais ils pensent que les observations les plus générales risquent de devenir et deviennent en fait les plus banales. Il faut donc selon eux, pour éviter d'ennuyer, tâcher de piquer la curiosité, de raffiner, de subtiliser. Aux raffinements de l'analyse, aux subtilités qui créent des situations singulières, correspondront des subtilités d'expression, les énigmes du style précieux et du style galimatias. Racine seul a compris que le mérite d'un auteur dramatique n'était pas néces-

sairement d'être un psychologue plus profond que
les autres mais bien de mettre la vie dans sa psychologie, de nous donner l'impression non pas qu'on
a mieux démonté le mécanisme, mais qu'il n'y a
pas de mécanisme. Ainsi, malgré la fameuse différence des temps, du milieu et de la race, les personnages d'*Andromaque* sont, à travers déjà près
de quatre siècles, une humanité vivante et, par
conséquent, une humanité vraie.

———————

CHAPITRE X

LA QUERELLE D'ANDROMAQUE.
APRÈS ANDROMAQUE.

Andromaque fut jouée à la cour, dans l'appartement de la reine le 17 novembre 1667. *La Gazette* et la *Gazette de Robinet* nous permettent de tenir la date pour certaine. Nous ignorons, mais cela importe peu, s'il y eut, quelques jours auparavant, une représentation « à la ville ». Le succès fut sans aucun doute très grand. Racine écrit dans sa première Préface : «le public m'a été trop favorable pour m'embarrasser du chagrin particulier de deux ou trois personnes... ». En lui-même le témoignage serait insuffisant. Il est fréquent que les préfaces des pièces, le plus souvent imprimées après l'achèvement de premières représentations, grossissent un succès moyen ou même médiocre. Mais nous avons d'autres attestations qui se soutiennent les unes les autres. Subligny dans sa parodie de *la Folle Querelle* déclare, par la bouche d'Eraste : « Cuisinier, cocher, palefrenier, laquais et jusqu'à la porteuse d'eau, il n'y a personne qui n'en veuille discourir. Je pense même que le chien et le chat s'en mêleront, si cela ne finit bientôt ». Mme de Sévigné écrit : « Je fus... à la comédie ; ce fut *Andromaque* qui me fit pleurer plus de six larmes ». Il est probable que Charles Perrault ne se trompe pas, dans ses *Hommes illustres*, en écrivant : « Cette tragédie fit le même bruit à peu près que *le Cid* lorsqu'il fut représenté ».

Les adversaires de Racine essayèrent de contester la valeur de ce succès en affirmant qu'il était dû surtout au jeu des acteurs, à l'Hôtel de Bourgogne que Racine, infidèle à la troupe de Molière, avait choisi pour faire jouer sa pièce. Oreste était Montfleury, le vaste et « entripaillé » Montfleury, célèbre dans les fureurs et imprécations et qui devait donner à Oreste plus de « grandiose » que de naturel. Pyrrhus était Floridor, moins retentissant, mais fort aimé du public. Hermione était Mlle des Œillets, qui n'était plus jeune (elle avait quarante-six ans), mais il n'était pas nécessaire d'être jeune pour tenir le rôle d'Hermione. Surtout Andromaque était Mlle du Parc. Racine l'avait enlevée à la troupe de Molière et l'avait amenée avec lui à l'Hôtel de Bourgogne. Elle était, nous dit Robinet « si brillante, si charmante et si triomphante » que sa jeunesse et son talent durent contribuer au succès de la pièce.

Quoi qu'il en soit, la preuve la plus certaine du triomphe d'Andromaque, est sans doute que la pièce comme *le Cid*, comme *l'Ecole des Femmes* devint le sujet de toutes les discussions ; non pas seulement, comme pour *Sophonisbe*, les savantes discussions des doctes se chicanant sur Aristote, mais encore celles des salons et même celles des gens du parterre. A la suivre dans le détail la querelle est fastidieuse parce qu'elle est, comme toutes celles du même genre au XVIIe siècle, extrêmement confuse. Il y a, sur ce point, une grande différence entre notre XVIIe siècle classique, et la querelle Regnier-Malherbe ou celle des romantiques avec les classiques, des réalistes avec les romantiques. Regnier et Malherbe, romantiques et classiques, réalistes et romantiques s'opposent fortement, sans nuances, sur les principes mêmes et sur des principes parfaitement clairs. Au contraire dans les abondantes querelles qui se succèdent depuis la querelle du *Cid* jusqu'à celle des Anciens et des Modernes on est d'accord sur les principes. Tout le monde respecte (en littérature) l'autorité d'Aristote ; tout le monde croit à la nécessité des trois unités, de la vraisemblance, des bienséances, du style noble, etc. Si l'on se chicane, interminablement, c'est sur l'application de ces principes : « vous avez mal compris Aristote ; vous avez mal respecté la règle... ». Et l'adversaire ne dit jamais, fermement : « Je me moque de votre règle », mais : « quoi que vous en disiez, je l'ai mieux comprise que vous » ; ou « je l'ai cependant suivie ». Il est donc sans intérêt de suivre la querelle d'*Andromaque* dans le détail ; mais elle devient fort intéressante et significative si l'on en dégage les grandes

tendances de goût, qui, consciemment ou incons-
ciemment, opposent les adversaires.

Enumérons d'abord les faits et textes connus
de la querelle. Propos mondains et conversations
de salon. Nous devinons ceux de deux grands
seigneurs, le marquis de Créqui et le comte d'Olonne
par les épigrammes cinglantes où Racine [1] leur
répondit. Ils auraient reproché à la pièce de
manquer de vraisemblance, à Pyrrhus d'aimer trop
sa maîtresse, à Andromaque d'aimer trop son
mari et à Oreste de mal soutenir son rang d'ambassadeur. La première critique reste trop vague pour
qu'on puisse en voir la portée. La seconde et la
troisième montrent sans doute que d'Olonne et
Créqui étaient des cornéliens qui préféraient aux
tragédies de passion celles qui portaient à la scène
les « grands intérêts ». La dernière fait allusion
sans doute à la nécessité des « bienséances », au
protocole et à la dignité que tout spectateur exige
d'un homme qui se présente en ambassadeur.
Saint-Evremond, qui avait reçu à la fois l'*Attila*
de Corneille et *Andromaque* écrit à Mme de Lionne
deux lettres : « ceux qui m'ont envoyé *Andromaque*
m'ont demandé mon sentiment... » ; et il le donne
brièvement. Enfin en 1668 Subligny fait imprimer
La folle querelle ou la critique d'Andromaque, où

---

1. Il n'est pas tout à fait certain que ces épigrammes
soient de Racine. Mais peu importe. Elles reflètent de toutes
façons ses opinions.

l'on voit deux fiancés s'engager dans une discussion sur la pièce à la mode et finir par se brouiller. Je laisserai de côté les opinions de Boileau sur *Andromaque* qui nous sont rapportées par Monchesnay dans son *Bolœana* et par Louis Racine dans son *Examen d'Andromaque*. Sans doute Monchesnay dont les anecdotes sont presque toujours suspectes, et Louis Racine se confirment. Mais nous savons aujourd'hui que les jugements de Boileau sur Racine avant 1670 sont contradictoires ou du moins extrêmement confus et que ce qu'il disait vers 1700 pouvait n'avoir rien de commun avec ce qu'il pensait en 1667. Nous négligerons de même un jugement du grand Condé qui aurait trouvé Pyrrhus trop violent et trop emporté. L'anecdote est rapportée par Louis Racine et Brossette qui ne sont ni l'un, ni l'autre des collectionneurs d'*ana*, de ragots mais qui parlent par ouï-dire, sans doute par une succession de ouï-dire, trente ans après 1667.

Notons d'abord que la *Folle querelle* multiplie les critiques de détail sur la clarté, la justesse et le bon goût du style. Par exemple, Racine avait d'abord écrit (II, 2) :

> Non, non ne pensez pas qu'Hermione dispose
> D'un sang sur qui la Grèce aujourd'hui se repose.
> Mais vous-même est-ce ainsi que vous exécutez
> Les vœux de tant d'états que vous représentez ?

« Il me semble, écrit Subligny, que *se reposer sur un sang* est une étrange figure... *Exécuter les ordres*

n'est pas la même chose qu'*exécuter les vœux* qui
ne se dit que quand on a voué quelque chose ; mais
ce n'était point un pélerinage que les Grecs avaient
voué en Epire ». Le premier texte de Racine peut
se défendre. Le mot *sang* dans le sens de *race*,
d'*héritier de la race*, avait perdu toute valeur d'image.
Oreste ne peut pas apporter à l'illustre Pyrrhus les
ordres des Grecs, mais leurs désirs, leurs vœux, en
laissant entendre ce qu'ils ont d'impératif. Racine
a pourtant accepté la critique de Subligny en rem-
plaçant ces quatre vers par ceux-ci :

> Quittez, Seigneur, quittez ce funeste langage.
> A des soins plus pressants la Grèce vous engage.
> Que parlez-vous du Scythe et de mes cruautés ?
> Songez à tous ces rois que vous représentez...

Dans la même scène Oreste disait d'abord à Hermione :

> Ainsi donc, il ne me reste rien
> Qu'à venir prendre ici la place du Troyen.
> Nous sommes ennemie lui des Grecs, moi le vôtre.
> Pyrrhus protège l'un ; et je vous livre l'autre.

« Galimatias » dit un des personnages de la *Folle
querelle*. Et il faut convenir que ce propos d'Oreste
est à peu près inexplicable. Hermione vient de
dire à Oreste qu'il n'est pas venu en Epire pour
lui parler d'elle et lui tenir des propos d'amour
gémissant, mais pour exécuter la grave mission
dont les Grecs l'ont chargé. « Je n'ai plus de mis-

sion, réplique Oreste ; Pyrrhus refuse de livrer
Astyanax ». « L'infidèle ! » crie Hermione. Nos
quatre vers signifient sans doute : « Revenons à
mon amour. Les Grecs haïssent le troyen Astyanax ;
mais Pyrrhus le protège et il leur échappe ; mais
il y a un autre ennemi qu'on hait, que vous haïssez,
qui est moi ; et celui-là il n'échappe pas, je vous
le livre ». Il faut convenir que c'est pour le moins
du galimatias simple et Racine n'a pas eu tort de
corriger :

> Ainsi donc, tout prêt à le quitter
> Sur mon propre destin je viens vous consulter.
> Déjà même je crois entendre la réponse
> Qu'en secret contre moi votre haine prononce.

Assurément toutes les critiques de style de
Subligny ne sont pas aussi pertinentes. Elles sont
souvent des chicanes. Mais critiques justifiées ou
chicanes confirment ce que nous avons dit plus
haut : en fuyant le galimatias, en recherchant la
clarté et la justesse, Racine ne fait que suivre ce
qui commence à être l'exigence de tout son temps.

Les préfaces de Racine répondent à une autre
objection qui est également un beau sujet de discussions pour les doctes : c'est celle de la vérité
ou de la vraisemblance historique. Racine a toujours eu, à cet égard, des scrupules. Il se vante dans
la première préface d'avoir rendu ses personnages
« tels que les anciens poètes nous les ont donnés ».
Il insiste dans la seconde en justifiant la hardiesse

qu'il a eue de « faire vivre Astyanax un peu plus
qu'il n'a vécu », en alléguant les libertés d'Euripide,
d'Homère, de Sophocle : « il ne faut point s'amuser
à chicaner les poètes pour quelques changements
qu'ils ont pu faire dans la fable ». Les préfaces de
Britannicus, de *Bajazet*, de *Mithridate*, d'*Iphigénie*,
de *Phèdre* présenteront de semblables justifications.
Nous penserions aujourd'hui que les raisons de
Racine comme les objections de ses critiques sont
vaines et que le poète n'a qu'une obligation, celle
de ne pas heurter trop directement ce qu'il y a de
plus connu dans les légendes antiques.

Plus intéressante est la discussion qui s'engagea
sur le caractère de Pyrrhus et dont la première
préface se fait l'écho : « Encore s'est-il trouvé des
gens qui se sont plaints qu'il s'emportât contre
Andromaque et qu'il voulût épouser cette captive
à quelque prix que ce fût. J'avoue qu'il n'est pas
assez résigné à la volonté de sa maîtresse et que
Céladon a mieux connu que lui le parfait amour.
Mais que faire ? Pyrrhus n'avait pas lu nos romans.
Il était violent de son naturel. Et tous les héros ne
sont pas faits pour être des Céladons ». Ces gens
étaient peut-être le grand Condé (nous avons dit
que l'anecdote est suspecte), c'était assurément
Subligny qui reproche à Pyrrhus de ne pas se
conduire « en honnête homme ». Par contre, si l'on
en croit l'épigramme de Racine, Créqui aurait
reproché à Pyrrhus d'« aimer trop sa maîtresse ».

Nous serions plutôt d'accord avec Créqui ; et nous dirions non pas qu'il aime trop sa maîtresse mais qu'il lui exprime parfois son amour en « termes galants ». Créqui avait raison de s'étonner.

Toutes ces critiques ont, en elles-mêmes, peu d'importance. D'abord parce qu'elles n'intéressent que des détails. Et puis parce qu'elles n'ont eu aucune influence sur Racine : Il continuera à prendre, en apportant ses raisons, des libertés avec l'histoire. Il continuera, de bonne foi, à nous présenter des jeunes premiers héroïques qu'il croira n'être pas des Céladons et qui parleront d'amour comme s'ils étaient des lecteurs du *Grand Cyrus* ou de la *Clélie*. Comme Pyrrhus, Achille, Xipharès, Hippolyte et même Britannicus ou Antiochus seront non pas insuffisamment mais beaucoup trop des amants « honnêtes gens ». Par contre, on oppose à *Andromaque* une critique beaucoup plus essentielle et dont l'action sur Racine a été considérable. On la trouve dans les lettres de Saint-Evremond, chez Mme de Sévigné ou, dispersée, dans la *Folle Querelle* : « A peine, écrit Saint-Evremond, ai-je eu le loisir de jeter les yeux sur *Andromaque* et sur *Attila* ; cependant il me paraît qu'*Andromaque* a bien de l'air des belles choses ; il ne s'en faut presque rien qu'il y ait du grand. Ceux qui n'entreront pas assez dans les choses l'admireront ; ceux qui veulent des beautés pleines y chercheront je ne sais quoi qui les empêchera d'être tout à fait contents...

Mais, à tout prendre, c'est une belle pièce et qui est fort au-dessus du médiocre, quoiqu'un peu au-dessous du grand », ou encore : « Ceux qui m'ont envoyé *Andromaque* m'ont demandé mon sentiment. Comme je vous l'ai dit, elle m'a semblé très belle ; mais je crois qu'on peut aller plus loin dans les passions et qu'il y a encore quelque chose de plus profond dans les sentiments que ce qui s'y trouve ; ce qui doit y être tendre n'y est que doux et ce qui doit exciter de la pitié ne donne que de la tendresse. Cependant, à tout prendre, Racine doit avoir plus de réputation qu'aucun autre, après Corneille ». Les derniers mots éclairent les deux jugements. Saint-Evremond compare *Andromaque* aux pièces de Corneille et il préfère Corneille. Les « beautés pleines », le véritable « grand » c'est la tragédie des « grands intérêts », des volontés forcenées mises au service d'une ambition héroïque, celle de l'honneur, du salut de la patrie, du salut éternel mais aussi bien de la conquête ou de la conservation du pouvoir, c'est *le Cid*, *Horace*, *Cinna* (peut-être *Polyeucte)* mais aussi bien *la Mort de Pompée*, *Rodogune*, *Sphonisbe*, *Othon*, *Attila*. Ne nous étonnons pas de voir Saint-Evremond reprocher à Racine de n'être pas allé assez loin dans les passions et de ne pas avoir pénétré assez profondément dans les sentiments. C'est peut-être parce qu'il songe à ces cas singuliers de la tragédie galante ou même de la tragédie héroïque

dont nous avons donné tant d'exemples où il s'agit
de résoudre les plus subtiles et les plus étranges
questions d'amour. Plus sûrement c'est parce
qu'il se fait des passions et des sentiments une
conception toute cornélienne. Ce qui est le sujet
de la tragédie ce sont bien les passions ; mais ce
qu'on a pris l'habitude d'appeler la passion, c'est-
à-dire la passion d'amour n'est qu'un aspect des
passions. (Au XVIIᵉ siècle, d'ailleurs, le mot *passion*
désigne toujours chez les moralistes toutes les
impulsions du désir.) La passion du pouvoir qui
pousse la Cléopâtre de *Rodogune* à faire tuer un
de ses fils et à tenter d'empoisonner l'autre est
aussi redoutable et elle est plus « grande » que celle
d'Hermione ordonnant, d'ailleurs pour le regretter,
le meurtre de Pyrrhus. Même la passion d'amour
est « trop chargée de faiblesse pour être la dominante dans une pièce héroïque ». Un personnage
qui n'est qu'amoureux peut être n'importe qui.
Et l'on n'a pas de pitié, entendons de pitié digne
de la noble tragédie pour n'importe qui. Il faut
que ce soit un héros, quelqu'un qui surpasse de
loin la banale humanité et dont la chute est d'autant plus pitoyable qu'il s'était élevé plus haut.

Ainsi se trouvaient fortement opposés le type
symbolisé par Corneille de la tragédie grande et
celui qu'*Andromaque* et Racine allaient symboliser.
Entre les deux, Racine n'a pas choisi et il a toujours
plus ou moins hésité. Aussi faut-il marquer en

terminant que notre étude sur *Andromaque* ne
peut pas être, sur un exemple, l'étude de toute la
tragédie racinienne. En réalité Racine, très sensible
aux critiques, fut évidemment inquiet de l'obstination et de l'influence des cornéliens. Il ne conti-
nua pas dans la voie où *Andromaque* l'avait engagé.
Non seulement dans cette tragédie l'amour est la
passion dominante, mais encore c'est la seule
passion. Il ne tient au contraire, dans *Britannicus*,
qu'une place très secondaire. L'amour tout sensuel
de Néron pour Junie n'est qu'une occasion. N'importe quelle autre occasion aurait fait du monstre
caché et naissant un monstre déclaré. C'est évidemment une tragédie de grands intérêts, des
intérêts les plus grands puisqu'il s'agit des destins
du monde civilisé. *Bérénice*, au contraire, revient
résolument dans le chemin d'*Andromaque* et le
veut même plus étroit. Il faut simplifier à l'extrême, ne poser qu'un problème d'amour et un
problème sans aucune complication. Trois mots
doivent suffire, *invitus invitam dimisit*, pour dérouler cinq actes. Seulement cette totale simplicité était une gageure. Pour remplir cinq actes,
courts, Racine a dû donner le tiers de la place à un
langoureux sans intérêt, parfaitement inutile,
Antiochus. Déjà *Bajazet*, plus complexe, fait place,
grâce à Acomat, aux grands intérêts politiques.
Mithridate est une tragédie politique et militaire
bien plus qu'une pièce d'amour ; et l'amour chez

Mithridate n'est qu'une passion chargée de faiblesse. Dans *Iphigénie* le drame de l'ambition et
de l'orgueil est tout mêlé au drame d'amour. Seule
Phèdre nous ramène à *Andromaque* ; la passion
d'amour, déchaînée et démente l'emplit tout
entière. Et elle nous ramène en même temps à ce
qui a été tout de même le vrai génie de Racine, du
moins la marque la plus impérieuse de son génie,
la création d'âmes possédées par les impulsions
invincibles de l'amour.

NOTE BIBLIOGRAPHIQUE

Il n'existe pas d'ouvrage consacré particulièrement à *Andromaque* en dehors des notices des éditions scolaires. Si notre livre est juste, aucune de ces notices ne donne une idée exacte de l'originalité de la pièce. Nous dirions la même chose des études d'ensemble sur Racine. Nulle part on n'a tenté de faire le départ entre ce qui était, au théâtre, goûts, modes, curiosités communes à tout le monde et ce qui est vraiment le génie propre à Racine. Par contre, depuis très longtemps, les érudits ont poursuivi sur la vie et sur les œuvres de Racine des études scrupuleuses. Ce sont eux qui nous ont fourni sur cette vie et sur ces œuvres prises en elles-mêmes les documents sur lesquels nous nous sommes appuyés.

L'essentiel de ces recherches se trouve encore dans l'édition des *Œuvres de Racine*, publiée par P. Mesnard dans la *Collection des Grands écrivains de la France* (1865-1870). Depuis on n'a ajouté à cette édition que des précisions de détail, dont beaucoup ne sont que des curiosités érudites sans grande signification. Signalons cependant les enquêtes sur la bibliothèque de Racine et sur ses lectures (de P. Bonnefon dans la *Revue d'histoire littéraire de la France*, 1898 ; — de H. C. Sprietsma, *Journal des Débats* du 24 juillet 1924) ; celles sur les domiciles de Racine qui ont permis, par exemple à M. A. Hallays, de démontrer qu'il n'avait sans doute jamais acquis la maison de la Champmeslé tombée dans la misère (voir L. Dubech, *La maison de Racine*, *Revue hebdomadaire*, 1922) ; les recherches de M. Demeure que nous avons signalées dans notre ouvrage sur *Nicolas*

Boileau et qui ont détruit la légende d'une influence de Boileau sur Racine ; certaines recherches sur l'influence d'événements contemporains (de J.-E. Morel, *la Vivante Andromaque, Revue d'histoire littéraire de la France,* 1924 — de G. Charlier, *Athalie et la révolution d'Angleterre, Mercure de France,* 1931) ; une étude sur la place de Racine dans la « cabale Colbert » (de A. Chaboseau, *Racine et les Colbert, Mercure de France,* 1934) ; les documents découverts par le vicomte de Grouchy sur la fortune de Racine (1892) et les recherches sur cette fortune d'E. Henriot ; l'étude de l'accusation portée contre Racine par la Voisin dans le drame des poisons (Funck-Brentano, *le Drame des poisons,* 1899).

On touvera une intéressante étude de M. H. Peyre sur *Racine et la critique contemporaine* dans les *Publication of the modern language association,* 1930.

Plus récemment, les annotations de Racine à la *Poétique* d'Aristote ont été étudiées avec pénétration par M. Vinaver (*Principes de la tragédie en marge de la Poétique d'Aristote. Université de Manchester,* 1944) ; les remarques faites par Racine à Uzès sur l'*Odyssée* ont été fort bien commentées par M. Broche (*Examen des remarques de Racine sur l'Odyssée d'Homère.* Paris, Société française d'imprimerie et de librairie, 1946).

Rappelons que pour compléter cette note on aura recours au *Manuel bibliographique de la littérature française moderne* de M. G. Lanson, continué (jusqu'en 1935) par celui de Mlle Jeanne Giraud.

TABLE DES MATIÈRES

ACHEVÉ
D'IMPRIMER LE
20 OCTOBRE 1947
SUR LES PRESSES DE
L'IMPRIMERIE MELLOTTÉE
A CHATEAUROUX (INDRE)
DÉP. LÉG. 4e TRIM. 1947
IMP. No 2455 - ÉDIT. No 224